FONTES DO PENSAMENTO DE
JACQUES LACAN

CIP-BRASIL. CATALOGAÇÃO NA PUBLICAÇÃO
SINDICATO NACIONAL DOS EDITORES DE LIVROS, RJ

A452f

Almeida, Wilson Castello de
    Fontes do pensamento de Jacques Lacan / Wilson Castello de Almeida. - 1. ed. - São Paulo : Summus, 2021.
    224 p. : il. ; 21 cm.

    Inclui bibliografia
    ISBN 978-65-5549-036-7

    1. Lacan, Jacques, 1901-1981. 2. Psicanálise. I. Título.

21-71152   CDD: 150.195
                                                                CDU: 159.964.2

Camila Donis Hartmann - Bibliotecária - CRB-7/6472

www.summus.com.br

Compre em lugar de fotocopiar.
Cada real que você dá por um livro recompensa seus autores
e os convida a produzir mais sobre o tema;
incentiva seus editores a encomendar, traduzir e publicar
outras obras sobre o assunto;
e paga aos livreiros por estocar e levar até você livros
para a sua informação e o seu entretenimento.
Cada real que você dá pela fotocópia não autorizada de um livro
financia o crime
e ajuda a matar a produção intelectual de seu país.

FONTES DO PENSAMENTO DE
JACQUES LACAN

Wilson Castello de Almeida

summus
editorial

FONTES DO PENSAMENTO DE JACQUES LACAN
Copyright © 2021 by Wilson Castello de Almeida
Direitos desta edição reservados por Summus Editorial

Editora executiva: **Soraia Bini Cury**
Capa: **Alberto Mateus**
Projeto gráfico e diagramação: **Crayon Editorial**

Summus Editorial
Departamento editorial
Rua Itapicuru, 613 – 7º andar
05006-000 – São Paulo – SP
Fone: (11) 3872-3322
http://www.summus.com.br
e-mail: summus@summus.com.br

Atendimento ao consumidor
Summus Editorial
Fone: (11) 3865-9890

Vendas por atacado
Fone: (11) 3873-8638
e-mail: vendas@summus.com.br

Impresso no Brasil

IN MEMORIAM

Dedico estas páginas à memória do psicanalista Carlos Augusto Nicéas, profissional rigoroso e ético que por seis anos acompanhou o meu experimento analítico, dando-lhe lastro.

Sumário

Prefácio 9
Introdução 11

1. Um nome inesquecível 13
2. Antecedentes psiquiátricos 23
3. Achegas do estruturalismo 29
4. Filósofos gregos 47
5. Teóricos da cultura 61
6. Professores russos de Lacan 89
7. Autores barrocos 93
8. Acadêmicos com concepções marxistas 97
9. Literatura e arte 103
10. Fragmentos teóricos da formação de Lacan . . . 127
11. Temas variados 143
12. Matematização da psicanálise lacaniana 147
13. O estilo 167

14 Tábula da sexuação 175

15 Topologia borromeana 189

16 Da psicose paranoica 203

Matérias que cabe ao psicanalista estudar 211
Sinopse da vida e da obra de Lacan 213
Obras consultadas 215

Prefácio

FONTES DO PENSAMENTO DE JACQUES LACAN é o terceiro livro da trajetória lacaniana de Wilson Castello de Almeida. O primeiro, *A clínica da psicose depois de Lacan*, foi publicado em 2012. O segundo, *Elogio a Jacques Lacan*, em 2017.

Quando recebi o convite para fazer o Prefácio, ao ler o título pensei comigo mesmo: Wilson está mexendo numa caixa de marimbondos... Com efeito, é um desafio fora do comum trabalhar as fontes de um autor complexo como Lacan. Ao terminar a leitura do livro, não obstante, constatei: Wilson conseguiu.

Na Introdução, o autor diz que o livro é "para os que se iniciam" na abordagem dos textos de Lacan, jovens psiquiatras ou psicólogos. Penso de modo diferente. Mesmo aqueles que já têm percurso considerável podem encontrar, nesta leitura, um meio de revisar ou sistematizar as fontes utilizadas por Lacan. Sem abrir mão do rigor, trata-se de exposição leve e agradável, que traz ao leitor dados que muitas vezes surpreendem.

O percurso apresentado inclui as mais variadas fontes, começando pela mais importante de todas: Freud. São comentados, listando os que mais se destacam, autores estruturalistas, filósofos gregos, filósofos contemporâneos, literatos e lógicos-matemáticos. Empreendimento que exige fôlego e disciplina, além de certa familiaridade com o texto lacaniano.

O mérito maior do livro é a originalidade da abordagem, que permite, como foi dito, um ponto de apoio aos que se iniciam e uma oportunidade de revisão para os mais avançados no tratamento de tais temas. Numa área em que a literatura é abundante, um nicho fecundo foi encontrado.

Francisco Paes Barreto
Psicanalista e membro da Associação Brasileira de Psiquiatria
e da Associação Mundial de Psicanálise (Paris)

Introdução

> *Não há campo em que alguém se exponha mais totalmente do que ao falar de psicanálise.*
> JACQUES LACAN

Para os que se iniciam

LACAN É DE LEITURA difícil justamente por exigir-nos uma cultura livresca que o psiquiatra clínico e o psicólogo, geralmente, não adotam na sua prática diária, principalmente depois da publicação da *Classificação de transtornos mentais e de comportamento* (descrição clínica e diretrizes diagnósticas) da Organização Mundial da Saúde – que, sendo um texto de registros estatísticos, é transmudada em livro de leituras pífias da massa universitária, de estudantes inapetentes para o estudo profundo da psicopatologia.

O presente trabalho pretende ser escolar, quase enciclopédico. A intenção do autor é de cunho didático, escrevendo-o para jovens psiquiatras e psicólogos que se iniciam na tarefa ingente de compreender as críticas intelectuais de Lacan, pai da nova psicanálise.

Jacques Lacan, ao citar as pesquisas por ele feitas, nem sempre se utilizou de paráfrases. Aproveitava as cópias textuais sem remetê-las, a quem pertença, às lavras autorais. Ele é ousado: "Tiro proveito daquilo que encontro (na literatura), doa a quem doer" (*Seminário 10*, p. 21).

Pela constância com que se utiliza das ideias de outros autores, pode-se fazer uma brincadeira: afirmar que ele é responsável pelo "retorno às teses alheias".

Digo isso para justificar as dificuldades de compormos a doutrina lacaniana com base nos temas essenciais à preocupação do mestre.

Não tratarei aqui das aporias atravessadas na sua obra nem me aterei à tarefa de nomear o inominável. Tentei manter o rigor exigido pela filosofia, permitindo-me, no entanto, a liberdade do ensaísta desejante de fazer as correlações que o pensamento de Lacan recomenda.

Se lhes aprouver, façam bom uso desta exposição.

Convoco os eventuais leitores a aprender e apreender a leitura dos textos lacanianos.

Esta é a nossa convicção e decisão para justificar e honrar a homenagem proposta em meu livro anterior *Elogio a Jacques Lacan* (Summus, 2017).

Wilson Castello de Almeida

1. Um nome inesquecível

Sigmund Freud

Não existe Lacan sem Freud. Quem um dia se lançar no estudo de Jacques Lacan passará obrigatoriamente pela obra de Freud, pois Lacan não pensou nada fora dos conceitos e das obras freudianas ditas canônicas.

SIGMUND FREUD NASCEU EM 1856 na Morávia (hoje República Tcheca) e faleceu em Londres, em 1939. Como médico, compartilhou seu interesse pelas civilizações com a arqueologia, as ficções artísticas, as hipóteses científicas e a literatura de modo geral.

Não por acaso embrenhou-se pela história de Roma, encantado com as camadas sobrepostas daquela urbe. Roma fora construída em vários momentos, cidade sobre cidade, como pudesse ser assemelhada às placas tectônicas da crosta terrestre.

Os antigos romanos tinham como avançadas as conquistas de sua engenharia e o seu passado etrusco projetou-se tempo afora em exemplos pictóricos, escultóricos e, por que não, decorativos.

Assim também a obra de Freud, pela sua diversidade, empilhou casos clínicos, artigos teóricos, questões sociais, polêmicas filológicas, dúvidas terminológicas, o contraditório da sexualidade, finalizando (*last but not least*) com as concepções primeiras e básicas da psicologia humana, realçando a pulsão em sua qualificação erógena.

Ligado ao pensamento iluminista, Freud era herdeiro de Emmanuel Kant, consagrando a ideia do "mundo da razão", pertinente a todo esquivamento de qualquer tipo de alienação, onde os instintos mais sombrios teriam de se submeter ao adequado autocontrole civilizatório. Invocava o ideal científico e, como Nietzsche, desejava transformar o romantismo nisso.

Não à toa se diz que a psicanálise de Freud apenas transformou em ciência o que os poetas de todos os tempos haviam intuído, com sua admirável sensibilidade e corajosa criatividade, sobre o mundo misterioso dos homens.

Não obstante, era fascinado por temas como a morte, o amor, o sexo, o desejo e os aspectos mais cruéis, sadeanos, ambíguos, libertinos, evocando as grandes loucuras da alma. Para ele "o Eu não é o senhor em sua casa", envolvido em uma "vida noturna" existencial, perigosa e muitas vezes trágica.

Era o seu paradoxo filosófico, no qual cabiam Goethe, Schopenhauer, Darwin, Kant, Lamarck, Nietzsche e outros tantos pensadores e romances sobre o herói condenado pelo destino.

Freud, supostamente um psiquiatra, na verdade era um neurologista com pesquisas sobre as gônadas das enguias e com um estudo primoroso das afasias humanas. Com a psicanálise, ele construiu um "edifício teórico" que o consagrou numa função referencial para a história da humanidade.

Tudo começou com o seu ex-colaborador, doutor Joseph Breuer, e a memorável paciente Anna O. História para uma vida, história para uma ciência: a descoberta da histeria e seus dialetos.

Verdadeiro ou falso, o discurso do paciente é o recurso do tratamento e, quiçá, da cura. Nasceria aí o uso da catarse, a valorização da palavra, a palavra como relação de poder na capacidade de despertar afetos e manter os seus fluidos mágicos. "Palavras, palavras, palavras" (Shakespeare).

Seis são os princípios fundantes da psicanálise, estruturada agora em "metapsicologia" (1915), não entendida, pois, como saber psicológico:

1 O "conhece-te a ti mesmo", mote inspirado no templo de Delfos (Grécia).
2 A máxima *Wo Es war, soll Ich werden* (em tradução livre, "onde estava o Isso, ali estará o Eu"). Um tema para muitas discussões. Lacan opina que o Eu aí referido não diz respeito ao Eu da *ego psychology* norte-americana, adaptativa, mas sim ao em si heideggeriano, para o qual ele inventou a expressão *s'etre* (ser-se), uma excentricidade radical.

    A leitura feita por Lacan marca o que se chamou, então, "o retorno a Freud", a retórica mais importante desse autor.

    Aliás, o que mais o aproxima de Freud e o faz mais psicanalista é o estudo da teoria do narcisismo, quando é capaz de apontar o que está "mal resolvido" na tese freudiana, sobretudo a dificuldade de distinguir narcisismo de autoerotismo.
3 O paradigma pulsional, nascido no meio familiar, que permitiu a seguinte afirmação: "Atrás de cada história doentia ou sintomática haverá sempre uma vivência do âmbito da própria cena doméstica". Dois seriam os grupos das pulsões: Tânato e Eros; morte e vida – as pulsões de autoconservação, sexuais, de vida e de morte. O amor e o ódio seriam forças elementares do psiquismo.

4   A "compulsão à repetição" que Freud descobriu ao tratar de *frau* Emmy von N. quando, no decorrer de uma sessão analítica, ela "contorceu o rosto, crispou as mãos e gritou: fique quieto, deixe-me falar o que tenho a dizer".
5   A doutrina tópica de Freud nos diz: o inconsciente é um lugar, uma metáfora. primeira tópica: inconsciente, pré-consciente e consciente; segunda tópica: Isso, Eu, Supereu.
6   Princípio do prazer e princípio da realidade. O princípio do prazer tem sua força motriz no Id (isso), aquele que busca a satisfação pronta dos impulsos do ser humano nas suas formas mais primitivas: fome, raiva, sexo. Fala-se, então, em fenômenos biológicos. Já o princípio da realidade desenvolve-se com o Ego (eu), a partir do amadurecimento da personalidade *vis-à-vis* à vida social. Estamos falando da realidade factual, contextual, e não da "realidade psíquica".

O princípio do prazer está ligado à satisfação dos desejos, na sua ilogicidade. O princípio de realidade é aquele que, partindo das normas sociais e culturais, disciplina os impulsos mais arcaicos. Para Freud, esses dois princípios vivem conflitos e compromissos.

"Eles não sabem que lhe estamos trazendo a peste", frase que teria sido expressa por Freud a Jung ao chegarem a Nova York para uma série de conferências sobre psicanálise na Clark University. Este dito, simples fofoca para alguns, funcionaria como o "mito fundador" da psicanálise subversiva, enigmática, libertária, emancipadora e utópica.

Na manutenção de toda a teoria criada por Freud permanece o mito do Édipo tebano, por onde a neurose se instala quando há irregularidades na sua dialética, impedindo o sujeito de amar e identificar-se com o pai (diga-se com a Lei do Pai).

Nos tempos atuais, com o recrudescimento do nazifascismo, é de boa sorte registrar: "A psicanálise esteve, no seu essencial, sempre em oposição teórica e prática com as ideologias fascistas" (René Major).

Hitler odiava o mundo; como seu contraponto, Freud amava a humanidade. As patologias que se acumulavam no cérebro do assassino da grande guerra finalizada em 1945 fariam dele um cliente pleno de angústias e furor para o doce Freud, analista que não mereceria o destino, certamente a ser funesto com tal paciente.

E, já atento aos riscos do antissemitismo, Freud enunciara no seu texto "Moisés e o monoteísmo": "Estamos vivendo um período especialmente marcante. Descobrimos para o nosso espanto que o progresso se aliou à barbárie".

Essas falas ajudam-nos a entender que a revolução freudiana não é um chamamento para a desordem dos sentidos; ao contrário, elas trazem à razão o que de irracional poderia nos afetar. Porém, para compreender essa revolução, há mais a dizer.

Em seus estudos, perquirições, descobertas e invenções, Freud estava convicto de que o inconsciente não teria indícios de verdade, mas tão só de fantasia. O inconsciente e seus tempos e espaços misturados e enigmáticos.

Enfurnado nos conhecimentos sobre o sonho, a marca de sua aventura maior, Freud estabeleceu os mecanismos chamados de condensação (metáfora) e deslocamento (metonímia), capazes de proporcionar a análise da subjetividade do que fora sugerido por aquilo que fosse objetivo.

Na retórica singular e própria de suas interpretações, utilizou uma série de conceitos acompanhando a filha Anna, que publicou o texto "O ego e os mecanismos de defesa", tais como repressão, denegação, racionalização, regressão, fixação, projeção, identificação, simbolização, sublimação e outros muitos. O mais importante deles seria o termo "repressão", condizente com os "freios emocionais poderosos" visceralmente incluídos na pauta comportamental do ser civilizado.

Entre seus mestres sobressai Jean-Martin Charcot, de quem diria: "Charcot é um dos maiores médicos da atualidade, cuja razão aproxima-se do gênio. Cada uma de suas aulas era uma pequena obra de arte, perfeita".

A prática analítica introduziu com pertinência os termos "transferência", "resistência", "interpretação" e "tratamento", deixando de lado a palavra "cura".

A psicanálise como ciência arguiu cinco clínicas a ser exploradas e divulgadas: o caso de Dora (no qual surge a transferência), o caso Hans, o Homem dos Lobos, o Homem dos Ratos e o caso Schreber.

Seu livro *princeps* é de 1929: *O mal-estar na civilização* (para ler, reler e tresler), sendo um dos mais belos *Totem e tabu* (1913).

Na apreciação das ciências, diz-se que o narcisismo do homem sofreu quatro golpes ou cortes: o cronológico, de Copérnico; o biológico, de Darwin; o sociológico, de Marx; e o psicológico, de Freud.

Morando na Inglaterra, vivendo as agruras do exílio, em 1939 Freud teve a morte de um estoico.

Sobre Lacan

De Lacan se diz que sua clínica se desenvolveu sobre o inconsciente e suas relações necessárias com a linguagem, com base no que chamou de "estruturas freudianas do espírito". Todavia, o retoque fundo que ele faz da psicanálise freudiana parte da compreensão e da formulação do que fosse para ele o narcisismo.

Ao começar sua carreira médica, Lacan defrontou-se com o que, na França, particularmente em Paris, ganhava com vigor os foros da ciência: o freudismo.

Na ocasião, dois grupos se instalavam na cultura parisiense: o da evolução psiquiátrica (1925), composta por médicos e psiquiatras, e o da Sociedade Psicanalítica de Paris (1926), composto por psicólogos, filósofos, literatos, psicanalistas e também uma ala da psiquiatria.

Havia, outrossim, a Sociedade de Neurologia (1926), na qual Lacan apresentou-se pela primeira vez como psiquiatra com o caso hospitalar sob o título "síndrome extrapiramidal". Foi a sua entrada no mundo científico.

Após algum tempo ele foi aceito na Sociedade de Psicanálise (1932) e iniciou sua análise pessoal com Rudolph Loewenstein. Gestava o psicanalista Lacan.

A descoberta fundamental de Freud fora a de que a relação afetiva entre paciente e terapeuta seria a mais poderosa arma do tratamento e da cura psicanalítica, suplantando a sugestão hipnótica, o discurso moralista e a catarse de ab-reação.

Lacan estava, pois, incluído nessa forma moderna de usar a psicanálise, contribuindo a seu modo com elementos revolucionários do método da *escuta*. Lacan foi o psicanalista apropriado para os "tempos modernos".

Estudou na clínica de doenças mentais do Hospital Sainte-Anne – centro do universo manicomial. Foi admitido como estagiário no setor de psiquiatria da Chefatura de Polícia, onde encontrou Clérambault, seu mestre sempre lembrado, e tantos outros expoentes do mundo psi de então.

Em 1932 dá a lume sua tese de doutorado em Medicina: *Da psicose paranoica em suas relações com a personalidade*.

Tudo por inspiração de Freud.

Sobre o inconsciente

O inconsciente freudiano se contrapõe ao cogito cartesiano e trata-se de um conceito moderno, novidadeiro, que surge no texto de Freud *Projeto para uma psicologia científica* (1895), comparecendo em todos os escritos de sua lavra.

A noção fundamental está presente em *A interpretação dos sonhos*, *Sobre a psicopatologia da vida cotidiana*, *O chiste e sua relação com o inconsciente* e, *sensu lato*, em toda questão da metapsicologia.

Ao promover o retorno a Freud, Lacan traz as inovações dialéticas e estruturalistas, de contingência histórica e do laço social.

Para Freud, a psicanálise inscrever-se-ia entre as ciências ditas biológicas; para Lacan, ela se encontra nos cursos epistemológicos: é na estrutura da linguagem, na fala plena, que a experiência descobre o inconsciente.

Deixemos o próprio Lacan dar significado à necessidade da fala plena. "É o momento em que a satisfação do sujeito encontra meios de se realizar na satisfação de cada um, isto é, de todos aqueles com quem ela se associa numa obra humana" (*Escritos*, p. 322).

Daí porque a função do analista é escutar e enfrentar com denodo a complexidade da aventura freudiana: o inconsciente.

Sobre o narcisismo

Em Lacan, o que mais o aproxima de Freud e o faz mais psicanalista é o estudo da teoria do narcisismo, quando é capaz de apontar o que está "mal resolvido" na tese freudiana, sobretudo na dificuldade de explicitar a distinção entre narcisismo e autoerotismo.

Narcisismo é o conceito que inaugura o retorno a Freud. A história do belo efebo encantado com sua imagem é bem conhecida. Torna-se a metáfora para uma forma analiticamente patológica. Em Lacan, a ideia do narcisismo expande-se em várias possibilidades, externas e internas ao espírito do ser: corpo, estímulos, trato pessoal, maneirismos, agressividade, metáforas dos costumes (conforme Kant) e sexualidade, de modo amplo, toda presença do homem no contexto social, e o estádio do espelho na presença do Eu.

Percebe-se que em Lacan o narcisismo se define por meio do "laço social".

Retorno a Freud

O retorno de Lacan a Freud se faz após o seu "momento durkheimiano" (1938), de que falaremos mais adiante.

Esse movimento de volta contém uma intenção política, como arte e ciência da organização, da direção e da administração dos fatos. Torna-se útil entender o que significa política: "A habilidade de relacionar-se com os outros para a finalidade de obter resultados". Os dicionários são pródigos em informações, nas quais a política inclui vocábulos bizarros como "astúcia" e "maquiavelismo" e, por fim, o melhor: a simpatia por uma causa nobre.

Muitos são os caminhos enviesados de Lacan em relação a Freud a fim de recalcar fragmentos postos entre o campo psicanalítico e o campo antropológico.

Em Lacan, a psicanálise deixa de ser técnica para cura de desvios psíquicos para tornar-se a teoria de uma dimensão radical da existência humana em seu tratamento. Para retomar Freud, o caminho é o que passa pelo saber de Lévi-Strauss, como veremos à frente.

É no *Seminário 1 – Os escritos técnicos de Freud* (1953-54) – que se dão as preocupações clínicas inaugurais, permitindo a Louis Althusser afirmar que o retorno não é uma volta qualquer, mas o conhecimento de Freud em sua maturidade. "Não basta relembrar, é preciso reconstruir."

Nesse *Seminário*, Lacan diz: "Daí ser Freud para todos nós um homem que, como cada um, está colocado no meio de todas as contingências – a morte, a mulher, o pai".

Um "segundo retorno" encontra-se no *Seminário 11* (1964), retomando-se os conceitos fundamentais da psicanálise: inconsciente, repetição, transferência, resistência e pulsão.

A cartografia psicanalítica se apresenta, então, em sua definição teórica e clínica, instalando-se o retorno no sentido da inventiva freudiana, a partir da linguagem e de seus meios de representação. E Lacan exercitou o que fora novidade expressiva.

2. Antecedentes psiquiátricos

Gaëtan Gatian de Clérambault

No dizer de Lacan (página 65 dos *Escritos*), Clérambault seria o seu único mestre em psiquiatria, com a teoria do "automatismo mental" (eco do pensamento), a exposição mais próxima da análise estrutural.

Esse mestre de Lacan conhecia bem toda a tradição cultural francesa e, por sua vez, foi formado por Emil Kraepelin, a psiquiatria na sua forma original.

"Pretendo ter seguido seu método na análise do caso da psicose paranoica, que foi o objeto de minha tese universitária, na qual demonstrei a estrutura psicogenética e designei a entidade clínica pela denominação mais ou menos válida de 'paranoia de autopunição'", afirma-nos Lacan.

É com o "risco da loucura" que ele, inspirado no seu mestre, refere-se ao que se mede pela atração das identificações postas ao ser humano com a finalidade de unificar, de modo simultâneo, a verdade e o ser – e, mais tarde, a ciência e a verdade (*Escritos*, p. 869).

O fenômeno da loucura prende, pois, o próprio ser do homem.

E ainda é dele a afirmação: "Quando reúno os resultados da análise que fiz das observações do caso Aimée, creio que destaco uma fenomenologia da loucura completa em seus termos".

Clérambault nasceu em 1872, na cidade de Bourges (França), e veio a falecer em 1934, em Paris.

Seus estudos psiquiátricos enriqueceram essa ciência com inúmeros temas, dos quais destaco a erotomania (síndrome de Clérambault) – a convicção do indivíduo de que um semelhante estaria apaixonado por ele.

Destaco, também, a síndrome do automatismo mental (eco do pensamento) como primórdios da psicose, permitindo a Lacan construir a doutrina dos fenômenos elementares.

Em sua época, como professor de psiquiatria, Clérambault instituiu a apresentação presencial do paciente, um modo clássico de estudar as psicoses que se faz ainda nos dias de hoje, incitado e estabelecido por Lacan em suas aulas excepcionais.

O prestígio de Clérambault se deveu à divulgação de seu excelente trabalho didático entre os alunos lacanianos.

Para finalizar seus dados biográficos, é importante lembrar que ele foi o responsável (entre 1905 e 1934) pela "enfermaria especial dos alienados", existente na sede da polícia de Paris, onde Lacan, entre os anos de 1920 e 1929, estagiou como psiquiatra – o que marcou sua carreira médica histórica, de psiquiatra a psicanalista.

Roman Jakobson

UMA NOTAÇÃO HISTÓRICA É necessária para a memória desses dois intelectuais do campo da linguagem: em dezembro de 1972,

Jakobson assistiu ao *Seminário de Lacan*. O segundo capítulo do *Seminário 20 – Mais, ainda –* é dedicado a Jakobson, quando Lacan registrou: "Pude admirá-lo bastante para lhe fazer agora essa homenagem".

E reconhece: "Seria preciso, para deixar a Jakobson um domínio reservado, forjar alguma outra palavra. Eu a chamarei 'linguesteria', o que significa para mim que o inconsciente é estruturado como uma linguagem, não pertencendo ao campo da linguística" (Diatkine, 1999).

Roman Jakobson nasceu em Moscou, em 1896, e faleceu nos Estados Unidos, em 1982.

Estudou Filosofia e História na Universidade de Moscou, tendo vivido e convivido com a intelectualidade da época.

Eram de sua lavra os estudos da linguagem poética, da literatura, da semiótica, os registros da Antiguidade, aspectos formais da Arte e da Antropologia.

Acompanhar suas reflexões ainda nos dias de hoje é ficar a par da história da linguística e, por isso mesmo, vê-lo reconhecido como um dos maiores linguistas do século XX.

Lacan foi deveras interessado na obra de Jakobson e dele selecionou o "conceito da metáfora" e o de "afasia" (termo também estudado por Freud), além do famoso texto "A instância da letra no inconsciente ou a razão desde Freud" (1957).

À página 21 do *Seminário 20*, o capítulo "A Jakobson" é um depoimento que traduz a dívida de Lacan a três expoentes: Jakobson, Saussure e Strauss, que por sua vez foram os artífices da possibilidade de ler Freud.

É no capítulo "A Jakobson" que Lacan desenvolve seus conhecimentos sobre "os discursos", cujos matemas tive a oportunidade de expor em outro momento.

Aí também ele coloca as questões da linguesteria, do significante, do gozo do Outro, do signo do amor.

E recorre a Jakobson: "Não é a palavra que pode fundar o significante. A palavra não tem outro ponto onde fazer-se coleção senão o dicionário, onde ela pode ser alistada".

Como é difícil ler Lacan...

Karl Jaspers

Este nome é o de um dos grandes estudiosos da abordagem fenomenológica da psicopatologia.

Nasceu na cidade alemã de Oldenburgo, em 1883, e faleceu em 1969, na Suíça. Por suas excelentes contribuições teóricas, foi considerado o psiquiatra-filósofo.

Seu livro *princeps* foi *Psicopatologia geral*, publicado no Brasil pela editora Atheneu em 1973.

O mérito de Jaspers foi ter transformado o tema da psicopatologia em um capítulo autônomo da psiquiatria. Em 1938, publicou *Filosofia da existência*, sendo um interlocutor de Kierkegaard, Nietzsche e Heidegger, a quem também influenciou.

Os estudiosos apontam o termo "compreensão" como uma palavra-chave que aproxima Lacan de Jaspers. Trata-se de um conceito ainda hoje muito discutido.

Porém, o que fica definitivo em Jaspers é "a existência do homem em seu mundo", o que nos leva a entender as psicoterapias como técnica e como lugar existencial.

Pode-se afirmar que, com Jaspers, Lacan introduz a ciência como orientação do mundo.

Henri Charles Jules Claude

NASCIDO NA FRANÇA EM 1869, onde veio a falecer em 1945, foi o primeiro professor de Psiquiatria de Jacques Lacan, entre 1927 e 1931. Sendo psiquiatra e neurologista, acabou batizando um tipo de enfarte oculomotor descoberto por ele em 1912.

Claude, assim denominado no ambiente psiquiátrico, foi médico assistente no Hospital de Salpêtrière e também no Sainte-Anne. Introduziu as teorias psicanalíticas de Freud na psiquiatria francesa e criou o primeiro laboratório de psicanálise na Faculdade de Medicina da Universidade de Paris.

Foi ele o orientador da tese de doutorado em Medicina de Jacques Lacan, dada a lume no ano de 1932.

Eugen Bleuler

CONFORME JACQUES LACAN, o surgimento da psicose é associado a um "desabamento" a ocorrer em todo o saber utilizado para a manutenção da ordem simbólica da pessoa acometida por tal patologia.

Fora Eugen Bleuler quem estabelecera as bases, em 1911, para os conceitos nosológico e nosográfico da patologia conhecida hoje como esquizofrenia. Bleuler mostrara que o fenômeno psicopatológico era a ruptura da integração existente entre as diversas funções psíquicas ou, dizendo de outra maneira, a cisão do Eu seria o sintoma predominante na esquizofrenia.

Bleuler, de nome completo Paul Eugen, foi notável psiquiatra suíço, responsável pela compreensão do que fosse esquizofrenia. Nasceu em 1857, na Suíça, e faleceu em 1939, na sua terra natal, Zollikon.

Foi influenciado por Freud, Kraepelin e Forel; por sua vez, influenciou Lacan.

O vocábulo "autismo" foi de sua lavra.

Com o destaque para a cisão do Eu, e com abrangente visão desse tema, Bleuler encontra-se, historicamente, com a teoria de Jacques Lacan.

Émil Kraeplin

Nascido em 1856 na Alemanha, onde faleceu em 1926, é considerado o pai da psiquiatria moderna. Antes de Bleuler, Kraeplin já estudara o que conceituou como "demência precoce" – que, na visão de alguns autores, seria a própria história da psiquiatria. Inicialmente, utilizou a terminologia latina *daementia praecox*, referindo-se a perda de memória, alterações das reações emocionais, distúrbios comportamentais e outras demonstrações clínicas clássicas. Propugnava pelas causas genéticas e biológicas das doenças psiquiátricas.

Em certo momento da história da psiquiatria, Kraeplin e Lacan foram conectados numa dimensão psicanalítica e sociopolítica, conforme a revista *Subjetividades* (Ferrari, 2004).

3. Achegas do estruturalismo

Definições

O CONCEITO MECÂNICO DE estrutura refere-se ao conjunto de partes associadas de um todo. Sempre que falamos em estrutura, no diálogo do cotidiano, falamos de "construção". Um prédio em construção, com suas fundações, vigas superpostas, esqueleto para receber posteriormente os tijolos e a alvenaria que dá o acabamento. Não se trata de uma fala inocente, pois a palavra estrutura vem do latim *structura*, derivada do verbo *struere*, traduzido por construir. Assim, há um sentido arquitetônico, designando o modo como um edifício é construído e, como tal, o pensamento e o diálogo.

Como, no entanto, nos ensina Bastide (1971), a partir do século XVIII o significado da palavra expandiu-se para referir-se ao corpo humano, à forma como os órgãos se distribuem e se organizam. E, também, para destacar as obras humanas – em particular, a língua. No século XIX, anatomistas, gramáticos, cientistas, sociólogos – enfim, todos os que se interessavam pelas ciências humanistas – passaram a usar com desenvoltura a expressão "estrutura" para promover analogias entre as várias disposições orgânicas e sociais, entre outras. E até mesmo para significar "organização", "sistema", "formas de sociedade" etc.

O termo ganha acepções próprias a cada disciplina em que é adotado. A partir de 1926, passa pela psicologia, pela matemática e pela biologia, conforme anota Lalande em seu *Vocabulário técnico e crítico de filosofia*. Kroeber, citado por Lévi-Strauss, vê no uso da noção de estrutura um modismo. Não obstante, o fato é que os estudiosos franceses reconheceram nela fecundidade teórica e operacionalidade metodológica.

Para Lévi-Strauss, fundamentado em seu interesse pela etnologia, a estrutura é o sistema de relações constantes do objeto sociocultural, com repercussão no arcabouço mental, num processo dialético que põe lado a lado estruturas sincrônicas e diacrônicas.

Enfocando melhor as ideias de Roger Bastide (1971), deve-se assinalar que ele define estrutura como um "sistema integrado, de modo que a mudança produzida num elemento provoca mudança nos outros elementos". Esse sistema estaria "latente" nos objetos, dando-lhes a condição de "modelo", podendo cada disciplina eleger seu modelo.

Na linguística, o termo ganha contornos que se podem dizer pragmáticos; mas não é a palavra "estrutura" que se faz adotada, e sim o termo "estrutural", dando origem a "estruturalismo" e "estruturalista".

Na primeira metade do século XX, com os cursos de Ferdinand de Saussure, publicados em 1916 no livro *Cours de linguistique générale* [Curso de linguística geral], estava inaugurado o estruturalismo moderno. Sem usar a palavra "estrutura", mas "sistemas", Saussure estabelece: "A língua é um sistema que apenas conhece suas ordens próprias". Daí conclui os princípios estruturalistas essenciais e básicos da língua, pelos quais: não há termos isolados, as partes do sistema devem ser consideradas numa solidariedade sincrônica; cada língua é uma mistura rigorosamente ordenada, em que todos os elementos estão unidos, não sendo legítimo explicar detalhes sem considerar o sistema geral da língua em que esses detalhes se manifestam; a língua é sistema complexo de meios de expressão no qual todas as partes se acham interligadas.

Daniel Lagache (*apud* Lacan, 1998, p. 653, grifos meus) nos ensina que o termo "estrutura", em psicologia, é uma maneira de designar a ideia de que as partes que se podem distinguir num conjunto mental mantêm, entre si, relações definidas. Nessa linha de pensamento, ele nos fala da estrutura na psicopatologia: "Em lugar de considerar o quadro clínico como uma coleção de sintomas, deve-se procurar aquilo que faz desses sintomas um conjunto"; "O que distingue as afecções mentais é a especificidade de sua estrutura"; "A descoberta de uma estrutura permite um diagnóstico que a pobreza de sintomas não autoriza".

O entendimento da estrutura na psicanálise de Freud remete às tópicas: na primeira, o sistema psíquico consiste na tríade consciente, pré-consciente e inconsciente; na segunda, instalam-se as três instâncias virtuais, Isso (id), Eu e Supereu.

Em Lacan, as ideias não se reduzem ao estruturalismo psicanalítico e sua teoria de sujeito nunca foi tema, quer de Lévi-Strauss, quer dos linguistas das várias correntes existentes. Pelo que se sabe, ele não se declarava estruturalista, embora o estruturalismo tenha sido a alavanca que lhe deu força para construir argumentos de crítica epistemológica à psicanálise. Em sua obra, a estrutura está ligada à linguagem, particularmente à linguagem como fenômeno cultural – portanto, como estrutura cultural que nada mais é do que o simbólico. É importante lembrar com Deleuze, em seu *Qu'est-ce la philosophie* (1991), que a filosofia clássica e o "senso comum" consideravam os fenômenos dicotomizados em real e imaginário. O estruturalismo reconheceria uma terceira ordem, a do simbólico, que abarca os instrumentos ou criações culturais que se interpõem para arbitrar, interpretar, representar, mediar etc.

No campo da linguística, o simbólico é a língua. E aí está o mérito de Lacan, ao articular as descobertas freudianas com o suporte antropológico. É ele mesmo quem nos diz: "Os conceitos teóricos da psicanálise só poderão ser esclarecidos se estabelecermos a sua equivalência com a linguagem atual da antropologia". Entenda-se "linguagem atual da antropologia" como referência à linguística e, mais propriamente, aos enunciados de Ferdinand de Saussure.

Se Freud inventou sua teoria fundamentando-se no biológico, Lacan, por sua vez, apoiou-se no cultural, entendido como simbólico. Porém, mais do que a cultura, Lacan quis explicitar o estrutural, no qual a mente, como metáfora do cérebro, e a própria cultura, *lato sensu*, se enlaçam por meio da linguagem, conformando outra construção. A relação estrutural "mente-cultura" serve para desbiologizar e também despsicologizar a psicanálise.

Lacan dá à psicanálise contribuição verdadeiramente nova quando, teorizando diferentemente da linguística, destaca o conceito de "alíngua"[1] e a eficácia da palavra na "cura". Seria o acesso à linguagem que levaria a criança a sair de sua existência biológica para a existência humana. Quando escreveu o famoso axioma: "O inconsciente está estruturado como uma linguagem", ele não estava fazendo uma simples analogia. Estava afirmando que o primado da linguagem está fundado, legitimamente, no ser, no objeto da psicanálise, "como máquina original que aí coloca o sujeito em cena".

---

[1]. Haroldo de Campos propõe o termo "lalíngua", porque a partícula "a" teria o sentido negativo, "não língua".

O psicótico, como veremos, estará prejudicado na aquisição do acesso à ordem simbólica. Sua estrutura terá características peculiares que podemos perceber mesmo quando não há a presença de uma loucura manifesta, como exemplificarei com o caso Joyce. Por fim, a estrutura psicótica caracteriza o ensino de Jacques Lacan, sendo tida como paradigma de todas as outras estruturas.

> **Elementos clínicos da estrutura psicótica**
> - Alterações afetivas profundas.
> - Relação dos sintomas com o saber e o conhecimento.
> - Prejuízo no acesso à ordem simbólica.
> - O risco à passagem ao ato.
> - O gozo sem limites.
> - Presença de transferências persecutórias e erotomaníacas.
> - O forcluído aparece no real do corpo (delírios, alucinações, autoflagelações, doenças somáticas).
> - Presença, no discurso, dos fenômenos elementares (irredutibilidade e incompreensibilidade), neologismos, automatismo mental, estigmas delirantes.

O diagnóstico estrutural

A noção do diagnóstico estrutural remete-nos ao conceito de estrutura tal como foi entendido por Lacan a partir das obras de Saussure e Lévi-Strauss. Ainda que a formulação estrutural já estivesse presente na obra freudiana, Lacan, ao propor o retorno a Freud, foi capaz de rever o legado e trazer novas contribuições esclarecedoras para a clínica do diagnóstico e da estrutura.

A estrutura em Freud refere-se à estrutura mental que se instala no sujeito em virtude da dinâmica processada pelo "complexo de Édipo", em que há três pontos essenciais: o desejo, o inconsciente e a castração (a metáfora maior).

Estrutura é o que marca o lugar de pai, mãe e filho, a partir do "complexo de Édipo".

Baseando-se nesses pontos, Lacan afirma que a humanidade do *ser* emerge inconscientemente da problemática posta pelo desejo. Daí a inauguração da clínica do desejo.

A noção de estrutura é que designa o paradigma do *status* científico, estabelecendo formas variantes e invariantes no interior de diferentes conteúdos psíquicos.

Três são as estruturas fundantes estabelecidas por Lacan, visando às possibilidades de negação da castração: preclusão (ou forclusão), recalque e denegação (ou desmentido).

Estabeleci um quadro sinótico didático e simpático.

Ternário RSI local do retorno	Formas de negação da castração	Conteúdos psíquicos da estrutura clínica	Fenômenos correspondentes ao retorno do que é negado
real	forclusão	paranoia	alucinação/delírio
simbólico	recalque	histeria	sintomas
imaginário	denegação	sexualidade inventiva	fetiche

Claude Lévi-Strauss

CLAUDE LÉVI-STRAUSS NASCEU EM 1908, na Bélgica, e morreu em 2009, na França. Lacan inspirou-se em seus trabalhos para empreitar o seu retorno a Freud, e só por aí se dão as transformações.

L.-S. visara uma verdadeira teoria do inconsciente a partir das "ciências sociais", entusiasmando o psicanalista pelo conceito da "eficácia simbólica".

Diga-se de passagem, no livro *Antropologia estrutural*, o capítulo *princeps* é o denominado "Eficácia simbólica".

Em sequência ao complexo xamanístico, o "encantamento" é a cerimônia mágico-religiosa das culturas indígenas capaz de jogar alguma luz à compreensão do tema com termos próprios, nos quais se fala em "força vital" e "alma de sua vida".

No texto fica claro que a ideologia tribal sublinha o conteúdo afetivo da perturbação fisiológica.

Três são os tipos de cura propostas:

1 realiza-se manipulação para a retirada da causa, quando é feita uma sucção na pele e o cuspe é expelido com o suposto fenômeno causal;
2 a tribo indígena faz um "combate simulado" contra os prováveis espíritos malignos;
3 os indígenas fazem a chamada sessão de "encantamento", entoando cantos mágicos que promovem a manipulação psicológica do órgão doente.

No decorrer dessas tratativas, é necessário que o paciente esteja imbuído de forte crença nessa possibilidade. Todavia, toda a comunidade é conclamada a acreditar, fortalecendo a questão da fé coletiva.

L.-S. registra que o xamã fornece ao doente uma "linguagem" pela qual podem-se exprimir, imediatamente, estados não formulados – ou, dizendo de outro modo, estados informuláveis. E complementa: a cura simbólica situa-se a meio caminho entre a medicina tradicional, orgânica, e os componentes psicológicos da psicanálise.

O exorcismo estaria ligado à bruxaria clerical, com mandalas, mantras, cânticos, danças, círculos, meditações, unguentos, incenso; nele, os humores são excitados e canalizados de modo a transportar e aplicar "a nítida substância da mente" (*sic*).

L. S., em seu artigo clássico "A eficácia simbólica" (1975), denomina os xamãs, os psicanalistas e os psicoterapeutas de modo geral de "ab-reatores profissionais".

Ab-reação, para Daniel Lagache (1992), refere-se à expressão ou à explicitação de um conflito psíquico até então recalcado, porém reintroduzido com a devida modificação na experiência vivida pelo paciente.

Para L.-S. (1975), "o inconsciente é o léxico individual em que cada um de nós acumula o vocabulário de sua história pessoal".

Como xamãs, assim definidos, a primeira função dos terapeutas é estimular o "discurso catártico", pois só a catarse permitirá o inédito, o novo, o inaudito. Só a catarse é libertadora: reorganiza a mente, promovendo as reparações necessárias para consolidar a identidade dos pacientes.

Trata-se de buscar a origem simbólica da sociedade. E o reconhecimento do primado da função simbólica sobre o social dá nascimento à "antropologia nova", significando um sistema interpretativo que abarca, ao mesmo tempo, aspectos físicos, psíquicos, fisiológicos e sociológicos de toda forma de conduta humana.

O chamado "retorno a Freud" se dá sempre pela presença da ideação de Lévi-Strauss. Suas pesquisas sobre os estudos antropológicos da função simbólica são tomadas diretamente por Lacan.

Essa é a dívida de Lacan para com Lévi-Strauss.

Também o "corpus teórico" de Freud está ligado ao *corpus* teórico de L.-S. no ponto preciso onde se apresenta o desejo sexual e a consequente regulação social.

Marcos Zafiropoulos (2018) assinala: "Desnecessário formular aqui tudo aquilo que a influência de L.-S. sobre Jacques Lacan não é. Não é a influência de uma moda nem de uma amizade. Está no cerne de um 'retorno a Freud' pelo objeto – o inconsciente e suas estruturas – das estruturas da fala e da linguagem".

No afamado "Discurso de Roma" (1953), Lacan indica os caminhos que lhe deu L.-S. em sua dialética, apontando o enigma etnoantropológico fundamental que é a passagem do homem da natureza para a cultura. Fala-se, por conseguinte, do enigma dos enigmas.

Lacan encontrou-se com as teorias de L.-S. a partir de 1964, no *Seminário 11 – Os quatro conceitos fundamentais da psicanálise* (1985c), em cuja aula inaugural o antropólogo estava presente, confirmando o vínculo de amizade entre os dois pensadores, vindo desde 1949.

Estudar L.-S., ainda que perfunctoriamente, é adentrar a arqueologia do pensamento lacaniano.

Ferdinand de Saussure

O filósofo Ferdinand de Saussure nasceu em 1857 na Suíça, onde veio a falecer em 1913. Suas ideias exponenciais deram origem ao estruturalismo.

Exerceu competente influência sobre o campo da literatura, particularmente sobre a doutrina de Jacques Lacan, que revolucionara a psicanálise pelo viés da linguagem.

Saussure foi considerado o pai da linguística hodierna, responsável pela maior compreensão das línguas indo-europeias e da semiologia subjacente.

Lacan impressionou-se com as dicotomias por ele propostas, tais como: língua e palavra, sintagma e paradigma, sincronia e diacronia, significante e significado, sendo esse último par o retor do pensamento lacaniano.

À página 500 dos *Escritos,* Lacan registrou: "A devoção de um grupo de seus discípulos reuniu sob o título 'Curso de Linguística Geral' – CLG – um ensino digno desse nome".

A importância dessa declaração se deve ao fato de que o livro, lançado em 1916, não teve a participação presencial de Saussure, sendo mesmo uma publicação póstuma. A obra referida, marca fundante do pensamento moderno, foi escrita e subscrita por alunos e seguidores, na linha do que se chamou "efeito Saussure", expandido pela literatura universal.

Albert Sechehaye e Charles Bally foram os organizadores e redatores do CLG; o qual o acadêmico Simon Bouquet definiu como "síntese magistral das reflexões de Saussure".

Por sua vez, o mestre teve várias atividades em sua vida acadêmica: professor de linguística na École Pratique des Hautes Études de Paris por dez anos; reconduzido à Universidade de Genebra, de onde saíra, disseminou ideias inovadoras que marcaram a sistematização do tema, até então opacificado na vida cultural. Na década de 1940, o pensamento estrutural por ele inspirado foi apresentado nos Estados Unidos por Roman Jakobson, do círculo linguístico de Praga, e daí a recepção do Curso (CLG), expandindo-se por várias áreas do saber, passando às mãos de Koyré e Kojève e chegando a Lacan – aluno desses filósofos russos – para a devida consagração.

Depois desse périplo, os estudiosos puderam afirmar com certeza que a "originalidade de Saussure" fora transformar uma teoria do conhecimento numa visão de mundo com uma ampla rede de relação pelo sentimento social da linguagem.

Todavia, Saussure, por esse tempo, já estava célebre com a idade de 21 anos, em virtude de sua dissertação sobre "O sistema primitivo das vogais nas línguas indo-europeias" (1906).

O ano de 2016 marcou o centenário do Curso, confirmando a lavra fundamental da preocupação atual no que tange ao campo das línguas.

O CLG estendeu sua repercussão por áreas como linguística, literatura, antropologia e psicanálise, e hoje se explicita na dimensão epistemológica, *sensu lato*.

Inúmeros são os estudiosos estrangeiros e brasileiros que compõem, com suas distintas concepções, o arcabouço na forma de ciência, pressupondo "um olhar que investiga" no sentido social de Saussure e a ele atribuindo paternidade irrecorrível.

Vocabulário

Sincrônico/sincronia — o que ocorre, existe ou se apresenta ao mesmo tempo, simultaneamente.

Diacrônico/diacronia – compreensão dos fatos em sua evolução (vir a ser) no decorrer do tempo.

Significante – seria a "materialidade sonora" da linguagem. Cada palavra diz e se contradiz, exigindo-nos perceber as tramas da enunciação e observar com atenção a cadeia dos significantes.

Significado – é o que está submetido ao significante, dando clareza à linguagem. Um significante poderá conter vários significados. Por aí se instala a polissemia das palavras.

Diacrítico – o "princípio diacrítico" de Saussure define que os conceitos só valem se a eles houver uma "oposição". Segundo o *Dicionário Houaiss da língua portuguesa*, "diz-se de ou sinal gráfico que se acrescenta a uma letra para conferir-lhe novo valor fonético e/ou fonológico. [Na ortografia do português, são diacríticos os acentos gráficos, a cedilha, o trema e o til]".

Em Ferdinand de Saussure, a dicotomia se daria entre significado/significante, invertida na "álgebra lacaniana" para significante/significado. À página 514 dos *Escritos*, Lacan, citando Saussure, refere-se ao "deslizamento do significado sob o significante, sempre em ação inconsciente no andamento do discurso falado".

Ainda utilizando-se das ideias de Saussure, ele conceitua condensação (metáfora) e deslocamento (metonímia), mecanismos presentes no trabalho do sonho, bem como na fala vígil.

Lacan busca a linearidade constitutiva da cadeia do discurso, como propõe Saussure, perseguindo os significantes $S_1 + S_2 + S_3$ etc. S_1 é o significante mestre ou maior.

Émile Durkheim

O SOCIÓLOGO FRANCÊS DAVID Émile Durkheim nasceu na França em 1858, falecendo nesse mesmo país em 1917.

Tendo lecionado Sociologia e Educação na Sorbonne (1906), foi considerado pelos seus estudiosos um dos fundadores do moderno pensamento sociológico. Era tio do cientista social Marcel Mauss, que viera a ser seu aluno. Recebeu influência de Descartes, Rousseau, Wilhelm Wundt e Comte, entre outros.

Durkheim criou o conceito de "solidariedade orgânica", no qual ressalta a capacidade de um "sistema" integrar diferentes interesses abrigados por uma "estrutura qualitativa".

Interessou-se pelo estudo sociológico do suicídio, ressaltando as causas de fundamento social, e não individual.

Definiu a religião como "um sistema universal de crenças e de práticas relativas a coisas sagradas [...] que reúnem numa mesma comunidade moral, chamada igreja, todos aqueles que a ela aderem".

Segundo nos ensina Marcos Zafiropoulos, era um autêntico chefe de escola, cujos discípulos se expressaram a partir de 1897 em *L'Année Sociologique*, revista fundada e fundadora do grupo de durkheimianos de influência considerável na sociologia francesa.

Lacan, de início, construiu a teoria do Pai, cujos fundamentos adotava com base nas ideias de Émile Durkheim, passando pelo que ficou denominado "momento durkheimiano", porém com ele rompendo para somar-se às ideias de Lévi-Strauss.

Diga-se com propriedade que, com o conceito de declínio da imago paterna, a teoria durkheimiana de "contração familiar" tornou-se obsoleta, pelo que dela Lacan se afastou em 1950.

De qualquer forma, a antropologia de Lacan não é a antropologia de Freud. Com seus estudos sobre a família, por um tempo ele é, tão somente, durkheimiano.

A antropologia lacaniana firmou-se, pois, de início, nesse estudo da família de Durkheim. Lacan publicou, no tomo VIII da *Encyclopédie Française*, o texto "A família", depois editado pela Jorge Zahar com o título *Os complexos familiares* (1985).

Desses textos retiramos algumas informações utilizadas no capítulo 11 de meu livro *Elogio a Jacques Lacan* (2017), na seção "O complexo".

O complexo

Complexo seria o conjunto de representações psíquicas recalcadas. Inconscientes, pois. Devem ser entendidas pelo simbólico e pelo metafórico.

O termo é atribuído a Carl Jung, entretanto Freud (em 1910) e Lacan (em 1938, 1953 e 1962) também o utilizaram.

É de Lacan a organização ternária dos complexos, com base em Durkheim:

- complexo do desmame ou da separação;
- complexo de intrusão ou fraterno;
- complexo de Édipo ou da castração.

No *complexo do desmame*, teríamos:

- do útero ao nascimento;
- do peito, desmame propriamente dito;
- da separação de um dos pais;
- da casa paterna, no momento de sair de casa;
- da dependência financeira, referida à entrada no mundo do trabalho;
- da perda do amor-próprio;
- desmame de um compromisso qualquer: escola, trabalho, casamento, uso de medicação, psicoterapia ou análise;
- perda de parte do corpo
- perda de um objeto.

Nesses itens, o que tem de ser pesquisado é o "sentimento de desamparo".

Já no *complexo de intrusão ou fraterno*, trata-se de pesquisar os sentimentos de inveja, ciúmes, rivalidade ou mesmo de simpatia e identificação:

- na relação com os irmãos (fratria) – os intrusos de dentro;
- na relação com o irmão mais novo – suposto maior intruso;
- na relação com os amigos que frequentam a casa, os intrusos de fora;
- na intromissão de terceiros, adultos – os "estrangeiros".

A pesquisa feita nesses itens referidos continua pela vida afora, com dados atuais, que promovem "curtos-circuitos" com a vida pregressa. E ainda a pesquisa de ansiedades pré-psicóticas.

Por fim, o *complexo de Édipo* é o que permite e inspira pesquisar a evolução da sexualidade a fim de entender de que forma veio estruturar a realidade psíquica do sujeito e o seu inter-relacionamento social:

- a sexualidade infantil no seu auge;
- a vida sexual na fase da latência;
- a sexualidade desenvolvida, "madura";
- a sexualidade regredida, no sentido psicanalítico;
- a sexualidade sublimada;
- os conflitos triangulares dentro e fora da família;
- o enfrentamento da castração, no sentido dos limites impostos pelos contextos familiares, social, grupal. As dificuldades existentes para o paciente no comércio da vida. A mobilização das angústias diante das impossibilidades.

Ao detectar no discurso do paciente uma palavra ou frase, supostamente inseridas nas vivências da instalação dos complexos, o terapeuta intervém no sentido de criar ou ampliar as oportunidades para que se possam expandir os afetos daquela descoberta.

"A angústia é o afeto que nunca acaba."

O complexo de Édipo deve ser entendido em seu simbolismo: a mãe é o inacessível, o pai é a lei e a ordem, e o filho, aquele que necessita transgredir para crescer.

Freud quase chegou a denominar sua descoberta "complexo de Hamlet", não o fazendo porque, para ele, toda a história da humanidade estaria registrada na mitologia grega de forma magistral.

Em que pesem a ignorância e a arrogância do ser humano, somos responsáveis pela nossa dinâmica inconsciente: eis o mistério da existência humana, afirma e reafirma o mestre Lacan.

Édipo é sempre metáfora.

Marcel Mauss

Mauss (1872-1950), etnólogo e antropólogo, é considerado o pai da antropologia francesa.

O professor Richard Simanke, à página 257 de seu livro *Metapsicologia lacaniana*, anotou: "A ser verdadeiro o crédito que Lévi-Strauss concede a Marcel Mauss de ser o inventor da noção do inconsciente em sociologia, talvez se possa ver nisso uma fonte de inspiração para a compatibilização que Lacan tenta empreender entre seus pontos de vista e os freudianos".

O número de vezes com que o professor Simanke se utiliza das vertentes maussianas é capaz de nos orientar para as ideias antropológicas presentes no encaminhamento lacaniano rumo ao estruturalismo, por meio do conceito de "fato social total".

Para Lévi-Strauss, foi na obra de Mauss que Lacan se alfabetizou no tema, aceitando a noção de sociologia como a "ciência humana por excelência." E mais: Mauss seria um "ancestral de direito do estruturalismo".

A psicanálise revista por Lacan à luz da antropologia permite a inclusão do fato social na subjetividade do indivíduo, levando à despsicologização da matéria freudiana. Fala-se, então na "gênese social da personalidade", bem utilizada por Lacan em sua tese de doutorado – *Da psicose paranoica em suas relações com a personalidade*.

De Elisabeth Roudinesco transcrevo: "Quanto à análise sociológica do indivíduo no interior da família, o coquetel era espantoso, já que ali se encontravam uma temática do sagrado, um niilismo antiburguês e um sentimento de rebaixamento da civilização ocidental oriundos, todos, da frequentação do Colégio de Sociologia". Assunto que se completava com os ensinamentos de Marcel Mauss.

Vamos, agora, nos referir a dois livros desse autor.

Ensaio sobre a dádiva (ou dom)

Publicado em 1925, é um clássico da antropologia, com pesquisas sobre indígenas das Ilhas Trobriand e os indígenas da América do Norte, utilizando como estudo introdutório texto de Lévi-Strauss. Trata-se de um marco da sociologia durkheimiana.

Mauss considerava suas teorias dispersas e não sistemáticas. O desenvolvimento de sua obra foi realizado por seus alunos, entre eles Georges Dumezil e Lévi-Strauss, fundadores do estruturalismo francês.

Entenda-se o termo "dádiva" (dom) como oferendas (presentes), visitas domiciliares, festas, esmolas, heranças e os tributos pagos ao Estado.

Enfim, Mauss se refere à vida social pelo seu movimento de "dar e receber", que desponta de modo diferente em cada organização social de acordo com a época e o lugar.

A civilização não se resumiria à "circulação de bens", mas na circulação de indivíduos e dos sistemas de parentesco, tais como sobrenomes familiares, títulos de nobreza, troca de visitas e de valores espirituais.

Em 1934, Mauss entrou no movimento socialista, comparecendo à marcha organizada pela Confederação Geral do Trabalho (CGT) em protesto às ações da extrema direita politicamente ideológica, ligando-se ao grupo de intelectuais antifascistas.

A nação

Texto quase utópico, que hipotetiza o surgimento de uma civilização – a prenunciar a atual União Europeia (EU) que para ele denominar-se-ia Estados Unidos da Europa. Retirei esses dados da introdução de Jean Terrier e Marcel Fournier ao livro.

Em 1949, Lévi-Strauss publicou *Introdução à obra de Marcel Mauss*, que serviria de ponto de inflexão da teoria lacaniana rumo ao estruturalismo correlato às ideias antropológicas.

4. Filósofos gregos

Sobre a Grécia

Geopoliticamente, a Grécia é um país de colinas, planícies e montanhas, com suas costas marítimas recortadas por ravinas altaneiras e pelos belos mares (Egeu, Jônico, Mediterrâneo) que a rodeiam com suas ilhas históricas: Creta, Rodes, Chipre, Míconos, Lesbos, Santorini, Samos, Cós, Ítaca. Politicamente, é dividida em várias regiões, donde sobressaem Esparta, Corinto, Tebas e a soberana Atenas, ressaltando os recortes do Peloponeso. Tem, ainda, uma literatura rica em várias épocas, com a história clássica de Homero no horizonte maior.

Seu desenvolvimento humano e cultural se deveu às ondas migratórias, ora de ascendência oriental, da Ásia Menor, ora da Europa ocidental, da região do Danúbio, da Macedônia ao norte, e de outros vizinhos importantes.

Repleta de conflitos, ficou marcada pela Guerra de Troia, cheia de lendas com a apresentação de seus últimos heróis gregos como sobreviventes.

A *Ilíada* e, depois de largo tempo, a *Odisseia*, são os poemas épicos atribuídos ao divino Homero; neles, seu herói, o astuto Ulisses (o Odisseu) se envolve em narrativas fantasiosas até a chegada à confortante Ítaca, onde o esperava a aflita e carinhosa Penélope.

Na *Ilíada* sobressaem os feitos bélicos e o militarismo destruidor consagrado ao sacrifício dos jovens. Por sua vez, a *Odisseia* revela um poema de paz, cujo objetivo é reconstruir a pátria helênica.

Polis se traduz por cidade ou cidade-estado, e foi sobre esse vernáculo que se formou a instituição política cultural da Grécia, particularmente de Atenas – aqui ressaltada de forma mais visível porque nela se viveu, em toda a plenitude, a experiência fundante da democracia.

Assim também foi em Esparta, com a chamada diarquia; em Corinto, com as importantes oligarquias; ou em Tebas, com a participação decisória de seus cidadãos, movimentos ungidos sob a inspiração grada de Atenas.

A democracia, com o ideal de justiça e a liberdade cidadã, a cidadania e o envolvimento das assembleias populares, caracteriza o que é essencial na civilização, indo para a frente e para longe, explodindo na Revolução Francesa: liberdade, igualdade, fraternidade.

E é desse jeito, de sociedade civilizada, que se permite nascer a retórica, a tragédia, a filosofia, o logos, a ágora, referentes todos ao desenvolvimento da *polis*, que num processo semântico de deslizamento nos dá: política, polícia, polimento. A primeira permitindo o discurso respeitoso, a segunda, o refreamento da barbárie, e a terceira, o efeito da educação aprimorada, polida.

As eventuais críticas que se possam fazer à democracia ateniense vêm de três cabeças pensantes: Sócrates, Platão e Aristóteles, superando de vários modos a cosmologia egípcia, a teologia hebraica e o próprio feudalismo grego.

Sócrates – O primeiro psicanalista

No SEMINÁRIO 8 – *A Transferência*, Lacan (2010) discute, de forma minudente, os diálogos propostos por Platão em *O Banquete*.

Já na página 40 do livro, afirma: "Para me fazer entender, direi inicialmente d'*O Banquete*, que vamos torná-lo como, digamos, uma espécie de relato de sessões psicanalíticas".

E toda a temática refere-se, por inspiração de Fedro, à metáfora do amor. "O problema do amor nos interessa na medida em que vai nos permitir compreender o que se passa na transferência e, até certo ponto, por causa da transferência", diz ele.

A escrita de *O Banquete* é difícil até mesmo para um homem culto como Lacan, tendo, por isso, ouvido do seu mestre Kojève: "Seja como for, você nunca interpretará *O Banquete* se não souber por que Aristófanes estava com soluço". Um jogo de lúdica adivinhação entre sábios. Vê-se, pois, a exigência desta leitura, na qual Lacan coloca toda a sua erudição soberba.

Sócrates (469 a.C.-399 a.C.) é o criador do "encontro maiêutico", legando-nos um modo de se relacionar com o outro por meio de debates sobre questões de ordem política, moral, jurídica e psicológica. Conta-nos a história que ele tinha profunda convicção de seu papel de "conversador" e a consciência de uma missão, quase religiosa, responsável pelo gesto de sacrifício da própria vida.

Seus conceitos éticos propugnavam por vida individual e pessoal, curadora zelosa da alma, a partir de sua crença num deus e a reafirmação da inscrição do templo de Delfos: "Conhece-te a ti mesmo".

Pretendia o filósofo a descoberta factual das motivações e necessidades do homem no pretenso desejo de ser sábio, localizando nessa busca as fragilidades do ser humano. Dava-lhe, ao seu interlocutor, a consciência da realidade e concretude. É dele: "A maior, pior e mais perigosa ignorância é a de quem não sabe e acredita saber. Eu só sei uma coisa, e é que nada sei".

Seu papel de "conversador" era sempre dirigido a sondar o ser humano. Perguntava ao seu interlocutor: "O que é isso?"

Interrogava aos cidadãos a quem se dirigia: qual é o significado da virtude? Qual é a melhor forma de se governar o Estado? Duas perguntas precisas aguardando a resposta certeira.

Para alcançar um tipo de sabedoria criativa e construtiva, Sócrates desenvolveu o método de dialogar, que consistia em nunca responder quando interrogado às perguntas em si. Então usava o subterfúgio da ironia ou da contrapergunta, valendo-se por último do recurso da refutação, quando o outro lhe apresentava uma suposta resposta.

Sócrates, filho de uma parteira, partejava o diálogo, na certeza de que tudo, toda resposta, estaria dentro do sujeito em viva potencialidade, pronta para vir à luz, à semelhança do nascimento de uma criança.

Estudiosos da maiêutica identificam no método não só efeitos intelectuais como terapêuticos, colhendo nos diálogos de Platão lances de intensa participação emocional.

Assim, ao terapeuta contemporâneo caberia perguntar: o que quer o paciente? Qual é o seu desejo? Eis a dialética psicoterapêutica em Lacan. Suas indagações e elucubrações não são obrigatoriamente expressadas, porém sempre pensadas.

Em Lacan não se interpreta *a* transferência, mas sim *na* transferência, sendo o primeiro desejo transferencial o da proteção. A proteção esperada pelo paciente estaria na idealização feita à figura do terapeuta: "o sujeito do suposto saber".

Nessa fórmula, o paciente não quer conhecer "qualquer coisa", e sim o desejo do terapeuta em relação a ele. Uma expectativa retora do processo, a que se abre e mantém o jogo do diálogo terapêutico.

A obra de Sócrates, transmitida por Platão, resume o que depois viria a se apresentar na vivência psicanalítica (*Erlebnis*): a busca do significado da presença do outro – o agalma.

E o que seria "agalma"?

Envio meu leitor ao capítulo X do *Seminário 8* (2010, p. 174). O termo se refere à denominação dada às estátuas divinas da Grécia Antiga. Dir-se-ia da "oferenda" dirigida aos deuses, pela sua honra e glória.

Na psicanálise lacaniana seria o "brilho do objeto amado". Em algum momento, Lacan refere-se ao "papel da isca" que uma palavra, um objeto ou uma aparência pode servir de "chamarisco", por vezes até promovendo uma "cilada" amorosa.

Agalma é acontecimento puro, que não pode ser incentivado nem destruído. Muito semelhante à transferência.

A transferência seria uma relação de paixão, o amor exponenciado. O analisado vê no seu analista algo a ser recuperado ou resgatado. Não se trata de tipos amorosos, tais como a empatia, a simpatia, a amizade e outros sentimentos e interesses sensoriais.

Pode-se correlacionar Sócrates a um psicanalista a partir dos diálogos platônicos, nos quais se registram o impacto das presenças, a efetividade dos procedimentos dialógicos, a capacidade das transmissões oráticas sem o recurso da escrita. O filósofo já valorizava a articulação com os significantes, posteriormente recompostos por Lacan.

A paixão de Alcibíades por Sócrates, descrita e analisada nas páginas de *O Banquete* e no *Seminário 8* (2010), traduz-nos o "amor apaixonado" sem armadilhas burocráticas. "Era idêntico à paixão sustentada pelos analistas lacanianos ao seu mestre", diz-nos alguém.

A crença ou a fé do paciente em seu analista parece ser fundamental para a formação do simbólico. O analista não oferece a cura, apenas o tratamento. E o faz pelo diálogo, que constitui uma renúncia à agressividade (*Escritos*, p. 109), pois, como nos diz Lacan "a filosofia, desde Sócrates, sempre depositou a esperança de fazer triunfar a via racional".

Todavia, além da via racional, Sócrates tem como paixão desvelar a verdade, dentro de certos princípios reguladores.

Diz Lacan à página 293 dos *Escritos*: "Esses princípios não são outra coisa senão a dialética da consciência de si, tal como se realiza, de Sócrates a Hegel".

Somos instados a procurar a leitura e a compreensão dos textos lacanianos nos *Escritos*. Uma leitura rica de conhecimentos necessários.

No estudo de *O Banquete*, diante da relação entre Sócrates e Alcibíades, pergunta-se: quem aí é o agalma? A história nos conta que Alcibíades via, na vida interior de Sócrates, verdadeiro agalma, luminoso e precioso. De outro lado, a morte de Sócrates foi considerada um momento mítico de transformação de um agalma.

No *Seminário 8* (2010), Lacan refere-se ao agalma do analista como "o objeto que nos captura".

Sócrates nunca deixou alguma coisa por escrito; o seu comunicador foi Platão. Quem abriu seus caminhos teria sido

Heráclito. Assim pode-se dizer, também, que foi Sócrates quem abriu as veredas para a clínica lacaniana.

O filósofo vinculava a sua tarefa à disposição intelectual e ética de seus alunos, com a finalidade de formar consciências.

Personagens de um momento histórico da Grécia, envolvida em guerras e clima de terror, Trasíbulo e Ânico, em união com outros companheiros, "acusaram Sócrates de corromper a juventude, estimulando-a a desconhecer os deuses pátrios". Imputado de sedutor dos moços, muitas vezes malevolamente, acoplou-se à sua figura a ideia de corruptor sexual. Não seria verdade. A real ebulição se deu no campo cultural, com as ideias e a pedagogia socrática.

Segundo De Strycker (1950), ele era um cidadão admirável e admirado, por seu exemplar sentido de justiça e sua presença como conselheiro, a quem os jovens consultavam nas contingências decisivas da vida.

Ao ser condenado à ingestão de cicuta, Sócrates permaneceu entre ser lançado ao esquecimento ou aceitar a morte honrada. Quando seus amigos insistiram para uma fuga moral, ele retrucou com altivez: "Eu me tornaria ridículo diante de meus próprios olhos se me agarrasse à vida e a poupasse quando não mais houvesse proveito dela" (Schneiderman, 1988).

Nessa linha de identificações intelectuais, Lacan supera a ideia de que o ser humano teme a morte, afirmando que, em verdade, ele tem é medo de viver demais.

Uma boa leva de estudiosos da psicanálise acreditava que o analista pudesse saber tudo sobre o seu paciente. Lacan, inspirado em Sócrates, contradisse essa ingenuidade interpretativa, lembrando-os que o analista nada saberia de seu interlocutor

– ou talvez conhecesse apenas as vivências de Eros, tal como Freud, diríamos, enfatizava a abordagem sexual.

Ainda, "a docta ignorância", tão referida na clínica analítica, também é de inspiração socrática.

O "mistério de Sócrates" seria a "episteme" – a ciência –, sobre a qual estaria instaurado o valor absoluto da função do significante na consciência do homem.

E assim vai sendo possível relacionar a clínica de Lacan à ideologia da maiêutica.

A questão da homossexualidade presente nos diálogos de *O Banquete* leva-nos a entender um mínimo sobre esse comportamento social da velha Grécia.

Recorri à leitura de Dover (2007), para quem essa faceta greco-romana ricamente documentada não guardaria a aproximação histórica e moral do que hoje chamamos de homossexualidade. São fatores culturais, presentes na mitologia, nas artes visuais dos "vasos gregos", nas escolas filosóficas, não tendo nada a ver com a cultura contemporânea.

Dover (2007) pergunta e responde: por que os atenienses do século IV a.C. aceitavam a homossexualidade tão prontamente, conformando-se, com tanta satisfação, a esse hábito, é uma questão que pode ser respondida imediatamente, num nível superficial: "Eles a aceitavam porque seus pais, avós, tios também a aceitavam".

Os jovens efebos eram perversamente "usados" pelos adultos como um resquício do costume helênico da zoofilia. Essa submissão era socialmente permitida até aos 18 anos; mais tarde, porém, a prática se transformaria num labéu.

Esta nota intermediária ajuda-nos a compreender os embates intelectuais dos diálogos platônicos, cheios de dúvidas e acusações sibilinas. Vamos continuar, calcados na leitura de Lacan.

Lê-se em *O Banquete* de Platão (séc. IV a.C.) que o nobre, belo e jovem Alcibíades declarara seu amor sensual e apaixonado por Sócrates, um plebeu de mais idade, sem qualidades apolíneas, de fisionomia tosca e feia, porém homem justo e virtuoso, de temperança e sabedoria.

Essa passagem histórica leva-nos ao assunto candente do amor de transferência, a que Freud chamou de "a forma confessada do amor".

Sócrates também amara Alcibíades em sentido teórico, platônico, atraído pelos seus muitos talentos e sua imbatível retórica político-filosófica.

Segundo o que se lê em Stone (1988), Sócrates, pela forja de seu caráter, foi o único a resistir aos encantos sensuais de Alcibíades, que testemunhara ter dormido com o probo filósofo em uma noite austera e casta.

Em algumas leituras pode-se registrar a "interpretação socrática" ao desejo de seu discípulo, deslocando esse sentimento sensual para a figura de outro amigo. Alcibíades amaria, sim, Agatão.

Era Sócrates um psicanalista *avant la lettre*: Lacan identifica em sua interpretação a verdadeira interpretação analítica.

No *Seminário 8* (2010), Lacan estabelece de forma muito clara e instruída a saga socrática, ampliando o texto para a questão da homossexualidade.

À página 151 do referido seminário, Lacan ressalta como o filósofo fazia incidir o efeito de seus questionamentos sobre a coerência dos significantes. Trata-se de uma leitura preciosa, que nos leva a compreender a "dialética socrática" – a qual consistiria em interrogar o significante sobre a coerência do significado.

Destaque-se a fala do filósofo quando esse se coloca no papel de Diotima, introduzindo o seu conceito de amor na visão de uma mulher, referendando a suprema homenagem ao gênero feminino. Diotima atribuía ao amor a natureza dos demônios, e percorreu a mitologia do nascimento do amor. Mito que só existiria em Platão.

Diotima foi uma sacerdotisa grega, instrutora de Sócrates, tendo-lhe infundindo ideias sobre o amor como expressão do feminino.

No *Banquete*, surge como uma personagem vista por muitos autores como fictícia. Seu nome significaria "honra de Zeus", sendo aquela que entende tudo sobre o amor.

Diotima teria uma excelente referência à função original da criação, a *poiesis*. E, copiando Lacan: o que ela introduz é o seguinte – o belo não tem relação com o *ter*, mas com o *ser*, com o ser mortal.

Foi nesse texto que Lacan inscreveu a fórmula famosa: "O amor é dar o que não se tem a alguém que não o quer". E outra afirmação se nos impõe para estudo mais completo: "Impossível comparar a transferência e o amor e medir a parte, a dose, do que se deve atribuir a cada um, e, reciprocamente, de ilusão ou verdade".

Poderíamos nos perguntar se Lacan seria chamado de um grande socrático, como o foram Kierkegaard e Nietzsche.

Platão – O aristocrata

O contexto em que Platão (427 a.C.-347 a.C.) foi criado, como vimos, é o da própria Grécia – em seus aspectos geopolíticos, mas principalmente na soberba formação político-cultural, incrustada na região de Atenas.

Atenas, a mais oriental cidade grega, mantinha um sistema social complexo, com 250 mil escravos sem direitos cívicos e 150 mil cidadãos livres que nem sempre compareciam às reuniões das assembleias. Porém, o historiador Will Durant (1996) nos informa que essa *polis* apresentava a mais complexa referência democrática. E era nesse ambiente convulso que pontificava Sócrates, o questionador das convicções de então. Platão foi por ele formado.

Platão – o homem de costas largas – era seu apelido; seu verdadeiro nome era Aristocles. Filósofo e matemático, foi responsável por diversos diálogos filosóficos em que Sócrates ocupava sempre o lugar de personagem principal. Além de ser discípulo de Sócrates, Platão foi influenciado por Aristóteles, Pitágoras e Homero.

De família rica e nobre, estudou literatura, música, pintura, poesia e se dedicava também às atividades esportivas, como a ginástica. Escreveu sobre o amor, a amizade, a política, a justiça e a imortalidade da alma.

Foi o responsável por deixar registrada a maioria dos textos de Sócrates – não escritos, porém ouvidos em perorações enfáticas.

Lutou na Guerra do Peloponeso, entre Atenas e Esparta, e posteriormente fundou a que seria a famosa Academia, dedicada à prática de exercícios físicos e também a conversas intelectuais e discussões políticas.

Inspirado em Parmênides, foi o responsável pela incursão dialética, na qual entre dois polos discursivos apostos e opostos (tese e antítese) concluía-se pela síntese. Vários foram seus livros: *A República* (utopia política), *Apologia de Sócrates*, *O Banquete* (a que já nos referimos).

O "mito da caverna", alegoria sobre a cegueira intelectual, preparando o leitor para o momento da morte, é contado no capítulo 7 de *A República*. Trata-se de um texto requintado e muito explorado no ensino das filosofias para ensinar, como foi feito para o jovem Glauco, como se adquire o conhecimento.

Para Lacan, às páginas 124 e 127 dos *Escritos*, a sabedoria de Platão nos mostra a dialética comum das paixões da alma e da *polis*, esclarecendo-nos sobre a razão da barbárie. Refere-se ainda ao processo formal descrito por Platão numa aritmética que relaciona tirania e democracia.

Em sua capacidade híbrida, Lacan consegue, em uma única página (a 294 dos *Escritos*), falar-nos de Hegel, Sócrates, Platão e Kierkegaard, concluindo com a liberdade soberana de Alice no uso das formas Humpty Dumpty, de Lewis Carroll, para explicar significante e significado.

A todo momento, em várias páginas, Lacan lembra-nos de Platão; o filósofo está sempre presente, para retificar e restituir afirmações que surgem como *deus ex machina* em textos gongóricos que mesmo assim nos encantam.

À página 840, no capítulo "Subversão do sujeito e dialética do desejo", retoma Platão para referir-se a Sócrates e Alcibíades e aos conceitos de objeto e agalma – uma leitura exigente, porém necessária.

Aristóteles – O erudito

ARISTÓTELES (364 A.C.-322 A.C.) foi aluno de Platão e professor de Alexandre, o Grande, duas nuances intelectuais que o consagraram. Recebeu influências magnânimas de Platão, mas também de Sócrates e de outros pensadores daqueles tempos.

Nascido na cidade de Estagira, da Macedônia, viveu sua juventude em Atenas, tendo frequentado a famosa Academia criada por Platão.

Seu legado intelectual foi o sistema de classificação das áreas do conhecimento do universo, sendo a principal referência do mundo cultural sobre metafísica e lógica; propôs, ainda, o estudo da poética e da retórica. Deixou uma frase inabalável: "O homem é um animal político". Seu livro *A Ética a Nicômaco* até hoje frequenta as estantes literárias e a discussão filosófica.

Lacan não deixou de ser atraído pelos mitos da antiga Grécia, o que o ajudou a ultrapassar a clínica das neurastenias, das neuroses e das psicoses. Em vários pontos dos *Escritos* ele convoca a presença de Aristóteles. Assim, à página 472 registra: "Não é a alma que fala, e sim o homem que fala com sua alma". (Por curiosidade, gostaria que o leitor procurasse na internet a belíssima canção judaica "A alma dentro de mim", do jovem Motty Steinmetz.)

E, em algum momento, refere-se aos temas de Aristóteles que deveriam compor o conjunto de matérias a ser estudadas pela psicanálise: a retórica, a dialética, a gramática e a poética. Remeto o leitor a esse texto enriquecido com as ideias somadas de dois intelectuais da *pesada* (assim diria o leitor "pop").

Neste roteiro de colocá-los juntos, ainda devo lembrar do Congresso de Bonneval (1960/1964), organizado por Henri Ey, quando Lacan, seu participante ilustre, propôs a retomada das quatro causas de Aristóteles (página 853 dos *Escritos*): a causa formal, a causa material, a causa eficiente e a causa final, que explicariam a origem de todos os seres.

Em outra página dos *Escritos*, Lacan dá azo ao conhecimento do que seja "ilusão" em Aristóteles, uma pequena mostra diante do que são referidas as formulações da causalidade psíquica, fenômenos subjetivos como a ilusão dos amputados, as alucinações do duplo e as objetivações delirantes.

Essa ilusão de que nos fala Lacan, percorrendo o que propôs o estagirita, seria a ilusão do movimento como efeito colateral: se você olha um curso d'água em movimento, terá a impressão de que as plantas e pedras postas ao redor da água também se movimentam. A isso se denomina "ilusão de ótica".

Lacan define Aristóteles como o mais exemplar e seguro daqueles filósofos que estudaram a questão ética.

Tentei, neste capítulo, fazer relações entre Lacan e os filósofos gregos inestimáveis. Platão chamava a filosofia de "caro deleite"; todavia, os energúmenos que se opunham consideravam-na um inútil jogo de xadrez. E outros assim reverberaram: a filosofia não tem transparência porque todos os seus ganhos são doados às ciências.

Para encerrar, uso as palavras de Will Durant (1996): a filosofia abrange cinco campos de estudo – a lógica, a estética, a ética, a política e a metafísica. Vê-se que o caminho é longo.

5. Teóricos da cultura

René Descartes

René Descartes (1596-1650) nasceu em Haia, na Holanda, e, na adultice, viveu um período de grandes embates filosóficos, tendo conhecido, com maior ou menor proximidade, líderes tais como Martinho Lutero, Giordano Bruno, Spinoza, João Calvino, Nicolau Copérnico, Galileu Galilei, expoentes do pensamento de então, com sua coragem intelectual e moral diante da Santa Inquisição.

Em 1640, apresentou-se aos doutores em Teologia da Sorbonne para rogar-lhes aprovação e proteção, ao lançar sua obra famosa *Meditações*, publicada em 1647, com a qual proporia um novo sistema de saber para as culturas cristãs de qualquer época.

Suas ideias foram consideradas por muitos resultado de uma genialidade inconteste. E foi por meio delas que o pensamento científico rompeu com o obscurantismo do Renascimento.

Vários foram os temas que antecederam e serviram de "escada" para a obra-prima, buscando sempre o caminho rumo à sabedoria universal, com ensaios sobre física, geometria, meteorologia, astronomia – e, como ponto de vista final, sobre metafísica, cuidando do "sujeito da ciência".

Também escreveu o *Tratado do mundo* e o *Tratado do homem*, delimitando o que os participantes de sua geração poderiam ou deveriam conhecer, sendo seu posicionamento filosófico firmado sobre o "aristotelismo", que já então ganhara a alcunha de "escolástica".

Um dos traços mais distintos da obra de Descartes foi a dúvida como certeza irrecorrível. O assunto não era novidade, pois, mesmo antes de seu suposto criador, existia o pensamento cético de Francis Bacon (1561-1626), sábio inglês dos anos de 1620.

Baruch Spinoza (1632-1677) assinou os prolegômenos dessa obra inestimável, destacando: 1) o despojamento dos preconceitos; 2) os fundamentos sobre os quais "há de se construir tudo"; 3) a descoberta das causas de erros; 4) inteligir tudo de modo claro e distinto; 5) a reafirmação da "questão da dúvida", que comentamos linhas atrás.

Em seus *Escritos*, Jacques Lacan abordou os temas cartesianos de modo participativo e crítico, no sentido literário.

Não se pode deixar de registrar que Descartes propunha "filosofar como se ninguém o tivesse feito antes dele". Lacan esteve junto dessa ideia e dessa prática. Daí porque na sua trajetória teórica reintroduziu o "sujeito da dúvida" no inconsciente e permitiu-se discutir a "filosofia do *cogito*".

Segundo nos relata Elisabeth Roudinesco (2011), o retorno ao pensamento de Descartes proposto por Lacan não se refere à filosofia do *cogito*, mas a um retorno ao pensamento capaz de pensar a causalidade da loucura. Para ele, o pensamento moderno, fundado por Descartes – *cogito, ergo sum* –, não excluía o fenômeno da loucura, sendo ele o fundador dessa visão nova da psiquiatria, com a lógica própria dessa psicopatologia.

Relata-nos Roudinesco que Lacan fora criado "no centro de uma velha fortaleza cristã", recebendo a formação clássica do catolicismo, no que se poderia classificar como "cartesianismo cristão".

No capítulo "Formulações sobre a causalidade psíquica" (*Escritos*, p. 152), ao fazer reparos à teoria organicista de Henri Ey (o organodinamismo), Lacan afirmou: "Quanto ao uso crítico que farei dela ficarei próximo de Descartes, enunciando a noção do verdadeiro sob a célebre forma que lhe deu Spinoza: *idea vera debet cum suo ideato convenire* – uma ideia verdadeira deve estar de acordo com o que é ideado por ela".

Faço esta citação para ressaltar como Descartes esteve presente no ideário lacaniano. Por igual motivo, retomo o capítulo "A ciência e a verdade" (página 870 dos *Escritos*), do mesmo escritor, para uma nova citação reconfirmadora do que quero dizer. Lacan:

> Não esgotei o que concerne à vocação da ciência da psicanálise, mas foi possível notar que tomei como fio condutor um certo momento do sujeito que considero ser um correlato essencial da ciência, um momento historicamente definido, sobre o qual tenhamos de saber se ele é rigorosamente possível de repetição na experiência: o que foi inaugurado por Descartes com o chamado *cogito*.

Em algum ponto de sua obra Lacan pergunta: "O que é o saber?" e retruca: "É estranho que, antes de Descartes, a questão de saber jamais teria sido posta a escrutínio. Foi preciso o surgimento da psicanálise para que a questão se renovasse".

À página 496 dos *Escritos* – "A instância da letra no inconsciente ou a razão desde Freud" – Lacan, ao discutir o que Descartes propunha como "o exercício da dúvida", mais propriamente "a subversão de Descartes", em que o jogo freudiano da metáfora e da metonímia, em seu inexorável requinte, desconcerta seus ouvintes com o axioma: "Penso onde não sou, logo sou onde não penso". Traduzindo pelo próprio Lacan: "O que cumpre dizer é: eu não sou lá onde sou joguete de meu pensamento; penso naquilo que sou lá onde não penso pensar".

Encerro essa dissertação para finalizar ainda com Lacan: "Por isso é que penso que a palavra de ordem de um retorno a Descartes não seria inútil" (*Escritos*, pág. 163).

Edmund Husserl

EDMUND HUSSERL (1859-1938) NASCEU em Prossnitz (Morávia). De origem judaica, todavia se converteu à Igreja Luterana, onde pontificou. Foi aluno de Franz Brentano e com ele descobriu a sua vocação para a filosofia; suas raízes intelectuais estão em Descartes, Leibnitz e Kant.

Dedicou-se às ciências naturais e às do espírito, e de sua lavra registrou: "Não se aprende filosofia, aprende-se a filosofar". Para ele, ainda, a concepção do mundo não dependeria de apenas uma pessoa, isolada, mas tão somente de uma comunidade cultural e da época vivida por esse clã.

Sua fenomenologia propõe-se como "transcendental". Influenciou Heidegger, Sartre, Binswanger, Merleau-Ponty, Lacan.

Dados sobre a fenomenologia de Husserl

Há quem diga que o método fenomenológico-existencial não pertenceria mais à doutrina lacaniana. Em seus estudos, Lacan passou pela fenomenologia de Husserl, Sartre, Heidegger, Kierkegaard, Merleau-Ponty, Max Scheler, Dilthey e K. Jaspers – atracando, por fim, em Hegel. Decidi expor de modo didático a fenomenologia existencial nascida com Husserl, para depois trazer as críticas estabelecidas por Lacan.

Etimologicamente, fenomenologia significa o estudo do fenômeno, ou seja, de tudo que se mostra em si mesmo. Mas a palavra ganhou o conteúdo e o sentido dos dias atuais com Edmund Husserl (1859-1938), formulador da metodologia que pretendeu dar rigor científico ao pensamento, já que para ele só era filosofia o que tivesse missão científica. Husserl buscou uma fundamentação para suas investigações, com a finalidade de obter um conhecimento rigoroso do fenômeno partindo de três exigências: ser *a priori*; não conter pressupostos; ser evidente por si mesmo – isto é, o fenômeno puro e absoluto deveria ocorrer de forma imediata, antes de qualquer juízo ou reflexão, livre de preconceitos por parte do observador e com valor universal para todos os homens e todas as épocas.

Há de situar corretamente a fenomenologia de Husserl para o seu significado não ser confundido com outras fenomenologias, principalmente com a "fenomenologia banal", ou "fenomenologia descritiva", cuja característica é a simples descrição de objetos, sob quaisquer justificativas, com o observador permanecendo de fora.

Em Husserl, ser e fenômeno não podem estar dissociados: vinculam-se pela intencionalidade. O observador se encontra, sempre, dentro da relação; nos trabalhos grupais, é chamado de "observador participante", conforme H. S. Sullivan (1940).

Da premissa básica
"Ser e Fenômeno *não* podem estar desvinculados." Tal premissa funda tudo mais que, nas psicoterapias, chega-nos com os nomes de relação, participação, diálogo, presença, identificação, amor, transferência, Tele, comunhão, socialização, vínculo, encontro, dialética existencial, dialética relacional.

Dos processos da inter-relação
São eles: *intencionalidade, intuição* e *intersubjetividade*.

1 *Primeiro processo: intencionalidade*. Em termos gerais, pode-se dizer que a intencionalidade é a abertura do sujeito para o mundo, como ato de identificação e busca de sentido. Seria a proposta dialética existencial da fenomenologia. A intencionalidade é o primeiro processo ou maneira de operar da fenomenologia.

O fenômeno não pode ser abstratamente deduzido, mas é algo "concreto" que passa a ser parte estrutural da consciência.

No momento em que se estabelece a relação dialética entre identificação do fenômeno e qualificação da consciência é que estará formada a intencionalidade. Ela é a relação ato noético e noema – ou, dizendo de outra forma, relação noético-noemática, que se dá no segundo momento.

Conforme nos ensina Jacques Derrida, a intencionalidade não é vontade, voluntarismo, e sim espontaneidade. E ainda se pode ampliar o conceito de intencionalidade registrando a possibilidade de sua inclusão entre os processos inconscientes descobertos por Freud. Há, pois, a intencionalidade inconsciente.

2 *Segundo processo: intuição.* Não é demais lembrar que não se deve confundir a intuição fenomenológica com qualquer iluminação milagrosa. Não se pode, ainda, confundi-la com a introspecção, em geral uma forma de meditação abstrata, com tendência a ser usada para explicações e generalizações.

3 *Terceiro processo: intersubjetividade.* Esse terceiro processo da inter-relação da fenomenologia remete-nos à confluência histórica em que a fenomenologia de Husserl e as filosofias da existência vão se unir. Essa encruzilhada é que amplia a possibilidade de entendimento e articulação da filosofia da consciência com inúmeras outras fontes do saber.

Nesse ponto, começa-se a perceber a presença das filosofias da existência na fenomenologia. O segundo período das ideias fenomenológicas iria inseri-las na problemática existencial do ser no mundo. Há, pois, uma intercomunicação de consciências, coconsciências, e a minha subjetividade e a do outro transformam-se em *intersubjetividades*.

Inspiram-se em Husserl os pensadores que se preocupam com o modo como a subjetividade de cada um vai ter acesso à subjetividade do outro.

O homem não seria único e sim coexistente, e a verdade humana universal seria resultado da intercomunicação de consciências e subjetividades.

Existir é coexistir.

A intersubjetividade não consiste em uma situação estática de consciências que se comparam, mas sim em uma situação dinâmica de consciências que se interpenetram, se reconhecem, se conflituam, se relacionam.

Husserl falaria em coconsciência, e mais tarde Moreno falaria em coinconsciente. De qualquer forma, a intersubjetividade é condição e caminho para a objetividade.

Por tudo o que foi dito até aqui, o método fenomenológico constitui um grande atrativo para as ciências do psiquismo humano. Por ser um método aberto, não se conclui que seja caótico e desordenado. Pelo contrário, ele permite acompanhar um mundo em movimento com regras que impedem a cada um participação autoritária ou irresponsável.

Da característica dinâmica do método
No dizer de Giles (1975), Husserl pretendeu uma "filosofia fundamentada no dinamismo intencional de uma consciência sempre aberta, tal fundamentação sendo antecedente a toda e qualquer sistematização".

Uma consciência sempre aberta é a *característica dinâmica* que permite à fenomenologia ser uma filosofia-ciência sempre em vir a ser.

A obra de Husserl apresenta vários momentos, inúmeras passagens, que são utilizadas pelos autores, a cada passo, para definir a tarefa da fenomenologia na interface com as ciências psicológicas. Para Merleau-Ponty (1969), essa tarefa é a de propiciar ao sujeito "ver o mundo de novo" de outra perspectiva.

Dos procedimentos didáticos
São eles: "o exercício da redução", "a atitude ingênua", "a arte da compreensão".

1. *O exercício da redução.* No estabelecimento da relação noético-noemática da intencionalidade, o método fenomenológico propõe colocar o mundo entre parênteses, isto é, suspender por um momento todas as conquistas culturais, no tempo e no espaço. Não significa negar a realidade do mundo exterior, mas tão somente permitir que a experiência do ser humano seja dada ao que é autenticamente manifestado, sendo o autenticamente manifestado não apenas o ser pensado ou o ser pensante, mas ambos. Redução é o colocar todo o "mundo natural", o mundo fáctico e suas teses à parte, deixando de usar, como recurso didático, qualquer julgamento espaçotemporal (desse mundo nada se afirma, nada se nega).

   Na relação eu-mundo, sujeito-objeto, restarão as essências, não no sentido das ideias platônicas, mas no sentido mesmo que lhes quer dar Husserl, o que é próprio e exclusivo do fenômeno, o que estaria nele numa autenticidade radical. Essa visão das essências é ateorética, isenta de explicações e causalidades.

   Colocar o mundo "entre parênteses" traz consigo algumas contradições, mas não consiste em uma dúvida insolúvel. A proposta é a de que na apreciação do sujeito/objeto (para o qual também sou um sujeito/objeto) o meu referencial teórico-ideológico (e também o dele) não seja obstáculo para a percepção télica do outro, mas nada impede que os temas que compõem os nossos referenciais possam estar na pauta do diálogo durante o processo relacional.

2. *A atitude* ingênua. O método fenomenológico-existencial vai exigir de seu praticante uma atitude "ingênua" diante dos fenômenos, para que eles se mostrem por si mesmos.

O que é ser ingênuo nesse caso?

Do mundo que tenho diante de mim nada afirmo com ideias preconcebidas, nem com explicações psicológicas e científicas. Apenas interrogo, ouço, vejo, percebo e sinto. Também me interrogo, me ouço, me vejo, me percebo e me sinto; diante das informações desse mundo que chegam a mim, entedio-me, alegro-me, emociono-me.

3 *A arte da compreensão.* Com base no que foi posto anteriormente, encontramo-nos diante da chamada *atitude compreensiva* da fenomenologia existencial. É preciso atentar para o fato de algumas pessoas confundirem o termo "compreensivo" da fenomenologia com o ato de bondade, cortesia e polidez do interlocutor.

Ainda com a intenção de explicitarmos bem a noção do compreender, recorro a Karl Jaspers, que nos alerta para o erro em se sugerir o psíquico como o setor da compreensão e o físico como o setor da explicação, pois os próprios fatos psíquicos podem, em determinada situação, subordinar-se ao explicar.

Antes de continuarmos, é importante assinalar que o método explicativo-causal foi primordial no campo da psiquiatria porque, historicamente, permitiu a superação das ideias mágico-religiosas e, ainda, deve ser usado em determinado momento do trabalho profissional, sobretudo no estudo do diagnóstico clínico. Diante de um sintoma clínico ou de um comportamento atípico, deve-se buscar a causa: orgânica, funcional, psicológica, ambiental, socioeconômica ou antropológico-cultural.

Não há possibilidade de isolar ou de querer anular um dos métodos. As duas modalidades – compreensão e explicação –

não se excluem; pelo contrário, podem se completar. Somente o momento propício de seu uso é que deverá ser oportunamente escolhido.

Críticas de Lacan à fenomenologia

Pode-se dizer que não há contestações definitivas e cabais à fenomenologia, mas não podemos deixar de reconhecer o encadeamento de inspirações críticas que passam por Sartre, Saussure, Lacan, Derrida, Merleau-Ponty, Badiou, Eric Alliez, Deleuze, Guattari, Foucault.

Jacques Derrida, filósofo francês falecido no ano de 2004, se intitulava "amigo da psicanálise" e "não psicanalista" para ter maior liberdade de estudá-la e criticá-la. Também sendo estudioso da fenomenologia transcendental de Husserl com fino espírito de observação – colaborando para o seu aprimoramento conceitual –, ocupa lugar especial nessa discussão sobre possibilidades e impossibilidades da fenomenologia. Derrida (*apud* Major, 2002) perguntava: "Nós vamos esquecer a psicanálise?"

Jacques Lacan, conhecedor arguto das ideias fenomenológicas, muitas das quais foram por ele absorvidas em sua prática analítica, fez reparos críticos a vários conceitos, sobressaindo-se o que foi feito aos termos "compreender" e "compreensão", pelo risco de o analista estabelecer pressupostos antes mesmo de vir a conhecer integralmente o pensamento do paciente. Aí estaria a base dos equívocos nas relações humanas.

Trata-se de estudos que escapam à especulação de quem não seja filósofo, porém, mesmo para os meros clínicos, é pertinente a frase de J.-F. Lyotard (1986): "Temos todos Husserl por trás de nós, deveríamos saber o que isso quer dizer".

Lacan faz a crítica da *intersubjetividade fenomenológica* partindo do princípio de nunca considerar o *sujeito* um indivíduo, um dado primevo, mas um efeito que surge somente pelos "cortes" do discurso, suposto pelo significante que o representa. Dito de outra forma: os sujeitos estão subordinados aos significantes.

Ele subverte a noção filosófica de sujeito. A nova teoria dá o sujeito como sujeito do inconsciente, ou seja, *o sujeito é o inconsciente, o inconsciente é o sujeito*. Não se o identifica à origem do idealismo filosófico de sujeito da consciência.

A teoria do inconsciente apenas foi esboçada. Lacan completou-a. Coube a ele a reafirmação do que foi dito por Freud: "O eu não é o senhor em sua própria casa." O sujeito lacaniano é desapossado das propriedades que lhe são conferidas pela psicologia clássica, afirmação de Gerard Miller em seu livro *Lacan* (1993).

Lacan, ainda, critica o termo "compreender" pelos equívocos que o vocábulo pode ocupar no diálogo terapêutico. Tomando-o ao pé da letra, o terapeuta pode achar que já sabe do que se trata antes mesmo de o paciente começar a falar. Isso configura o "pré-compreender", fonte de todo mal-entendido, de todos os equívocos, criando-se uma dificuldade à ação terapêutica do diálogo, pois, em consciência, o profissional não sabe nada sobre o paciente. Só *a posteriori*. Compreender ou a compreensão traria sempre um elemento imaginário, exponenciado na intersubjetividade.

Não devemos esquecer que a tese da Lacan sobre a paranoia (1932) foi escrita na perspectiva compreensiva. Assim, o Lacan mais moderno se afasta de conceituações ultrapassadas. Essa crítica feita em 1950 atinge também a crítica do imaginário.

Lembremos que Lacan valoriza, em princípio, o simbólico. Referindo-se à compreensão de Jaspers, ele registra: "Comecem por não compreender".

Para o "aqui e agora" (*hic et nunc*) da fenomenologia, Lacan reservou também uma crítica.

O "aqui e agora" pressupõe as certezas do sujeito, o que fica bem nas estruturas psicóticas. Essa posição cronométrica dá azo à fala vazia, seu aspecto mais ingrato, quando o sujeito parece falar em vão, sem atingir plenamente o seu desejo.

A fala plena reordena as instâncias do passado, distanciando do "aqui e agora". O inconsciente como expressão do sujeito lacaniano é o capítulo da história pessoal recalcado e fora do tempo presente.

Desavisadamente, acredito eu, alguns autores situam Lacan como um desconstrutor da fenomenologia. No entanto, não é bem assim. Realmente ele fazia críticas a certos conceitos dessa matéria, revertendo-os para uma forma pessoal de interpretá--los. Porém, pode-se encontrar em seus textos afirmações tais como: "A fenomenologia contemporânea aponta de maneira fecunda e sugestiva para todo o campo da percepção".

E recorre a Merleau-Ponty: "Depois que longos séculos nos deram na alma um corpo espiritualizado, a fenomenologia contemporânea faz de nosso corpo uma alma corporificada" (*Seminário 10*, 2005a).

Martin Heidegger

MARTIN HEIDEGGER (1889-1976) NASCEU em Messkirch, na Alemanha. Formado na Universidade de Freiburg, tornou-se professor universitário, reitor, escritor e filósofo festejado – o maior do século XX. Segundo diversos autores, foi um pensador seminal da tradição filosófica.

Escreveu uma dezena de opúsculos sobre filosofia, porém destacam-se três de seus livros: *O ser e o tempo* (1927), *Introdução à metafísica* (1953) e *Carta sobre o humanismo* (1947). Influenciou vários pensadores da cultura, entre eles Hannah Arendt, Jacques Derrida, Michel Foucault e Jacques Lacan.

Seu belo livro *A caminho da linguagem* (2012) resume-se em uma crítica literária que nos encaminha para entender o que é linguagem. O autor inicia sua exposição com um robusto texto de Humboldt (diplomata e filósofo do século XVIII), que aqui republicamos por nos remeter a Lacan.

> O homem fala. Falamos quando acordados e em sonho. Falamos continuadamente. Falamos mesmo quando não deixamos soar nenhuma palavra. Falamos quando ouvimos e lemos. Falamos igualmente quando não ouvimos e não lemos e realizamos um trabalho ou ficamos à toa. Falamos sempre de um jeito ou de outro. Falamos porque falar nos é natural. Falar não provém de uma vontade especial. Costuma-se dizer que por natureza o homem possui linguagem. A linguagem é o que faculta o homem a ser o ser vivo que ele é enquanto humano. Enquanto aquele que fala, o homem é: Homem.

Aí Heidegger volta a dizer: "linguagem é linguagem" – e nos deixa pairando sobre um abismo. Também criou o termo *Dasein* para significar o ser humano em seu lugar existencial e com o seu projeto de mundo.

Inspirou a prática terapêutica, liderada por Binswanger, denominada *Daseinsanalyse*.

Foi ainda responsável por investigar o *ser universal* como conceito primoroso, todavia indefinível (paradoxo?). Num jogo de palavras, buscou o ser de sentido e o sentido do ser.

Por tudo isso, e muito mais, Lacan tornou-se um heideggeriano.

Georg W. F. Hegel

GEORG WILHELM FRIEDRICH HEGEL (1770-1831) foi o filósofo mais importante do século XIX, depois de desistir de tornar-se pastor protestante. Professor das universidades de Jena, Heidelberg e Berlim, tornou-se reitor da última instituição. Nasceu em Stuttgart (Alemanha). Foi influenciado por Kant, Platão, Aristóteles e influenciou Heidegger, Schopenhauer, Marx, Kojève e Lacan.

Consta como participante do chamado "idealismo alemão", tendo como obra *princeps* a *Fenomenologia do espírito*.

Para ele, a função da filosofia seria a de examinar a consciência como processo de formação, a partir da cultura a que pertencesse, do seu lugar na história, estabelecendo-se como "a ciência da experiência do que fosse denominada consciência".

Sua obra, em termos processuais, é fortemente sistematizada: apela para os múltiplos aspectos do saber humano e da busca da verdade, direcionando-a ao Absoluto.

Diz Lacan (1970/1998b): "Tudo o que eu escrevi é inteiramente determinado pela obra de Freud. Também li alguns outros, é claro, mas de uma maneira que não há nada comparável a Hegel".

Vários são os temas e os autores que permeiam o texto fundamental escrito por Jacques Lacan com a intenção de ressaltar e formular o entendimento do conceito de angústia na psicanálise.

Seu estudo se fez sob a "lógica das coisas", permitindo observar até que ponto o sujeito pode suportar a angústia que o põe à prova a todo instante (ver o *Seminário 10 – A angústia*).

Lacan, desde o início de sua participação na psiquiatria e psicanálise, pretendeu ser um "pensador da cultura", permitindo a Didier Eribon – filósofo e jornalista – afirmar com serenidade: sua obra, produzida na filosofia francesa, surgiu como se fora "inspiração e confronto". Entre muitos inspiradores, sobressai a famosa tríade (geração dos 3 H): Husserl, Heidegger e Hegel.

Por certo tempo, Jacques Lacan afirmara o "declínio da fenomenologia", em que pese ter usado com generosidade conceitos e vocábulos afeitos ao tema: saber absoluto, sujeito absoluto, astúcia da razão, mestre absoluto, consciência de si, e o famoso apólogo da lavra de Hegel, "o senhor e o escravo".

O desafio entre o senhor e o escravo ocorreria dentro do "complexo de Édipo", permitindo a inserção do sujeito no mundo cultural e histórico da humanidade.

A temática psicanalítica, exercitada por Lacan, aloca à verdade a noção de "sujeito", então pertencente à dialética hegeliana, e referida ao campo da fala e da linguagem, articulando-se à subjetividade.

A dialética do senhor e do escravo

Apólogo é a narrativa em prosa ou em verso, geralmente dialogada, que encerra uma lição moral, na qual figuram seres imaginários dotados de palavra.

No apólogo do senhor e do escravo, dois homens lutam entre si: o homem livre é aquele que arrisca a vida, enquanto o homem vencido não ousa fazê-lo. Esse apólogo teve intensa repercussão no marxismo, no existencialismo e na psicanálise, fixando-se como a melhor parábola filosófica. Os autores que marcam com seu estigma intelectual os vários trechos de leitura da *Fenomenologia do espírito*, de Hegel (2011), são Kojève, Hyppolite e Lacan.

Alexandre Kojève produziu a obra *Introdução à leitura de Hegel* (2002) trabalhando com o método da análise estruturalista e reafirmando o que Hegel registrara: "O senhor é a própria consciência de si, porém, a despeito disso, ele parece necessitar do escravo, que cumpre o papel de sua consciência".

Kojève explicita o chamado "impasse existencial": o senhor lutou pela sua vida – o que seria construir o próprio reconhecimento. No entanto, recebeu apenas reconhecimento sem valor para si, o reconhecimento do escravo, quando gostaria de ser reconhecido por alguém digno de fazê-lo, múnus que o escravo não possui.

Assim, o senhor nunca estará satisfeito. Só a quantidade de escravos que venha a possuir poderá satisfazê-lo. De outro lado, o escravo se mantém sempre na única situação reservada pelo destino, pela natureza ou pela condição humana.

Hyppolite (1946) ressalta a nobreza do trabalho e a dialética da sujeição, marcando: "O senhor como escravo do escravo e o escravo como senhor do senhor".

O apólogo do senhor e do escravo reverte-se na metáfora célebre pelas mãos de Hegel, à época com 37 anos. O texto por ele produzido foi reconhecido de modo popular em 1807.

É no capítulo IV da *Fenomenologia do espírito* que os estudiosos encontram elementos para entender o apólogo e popularizá-lo. Nesse capítulo, há desdobramentos responsáveis pelo movimento do desejo e do saber absoluto (saber do saber), no sentido filosófico puro.

Lacan fará as aproximações necessárias com a temática do desejo, que ele soma com rigor à filosofia de Hegel.

A metáfora da relação entre o senhor e o escravo, entre aquele que submete e o que é submetido, procura mostrar, entretanto, como dialeticamente os papéis acabam por se inverter, já que o senhor também precisa ser reconhecido como tal pelo escravo.

O processo de submissão acaba por degradar aquele que procura submeter o outro. Pode ser isso entendido como processo didático/dialético?

Resposta provisória: também descrito como "método dialógico", esse teor retórico tem um foco, consistindo em contradições de ideias, contraditórios jurídicos, na arte do manuseio com as palavras, na arte estética do diálogo, tese argumentativa para definir de modo claro os conceitos envolvidos em discussões retóricas necessárias.

O doutor em filosofia Danilo Marcondes (1999, p. 126) promove pertinente comentário referido ao texto, do apólogo:

> O texto aqui selecionado é considerado uma das passagens mais centrais da *Fenomenologia do espírito*. Contém uma análise dialética do processo de formação da consciência como determinado pela relação com o outro – visando impor-se ao outro como sujeito, mas, ao mesmo tempo, pressupondo o reconhecimento de sua própria identidade pelo outro, que considera assim esta consciência com que se relaciona, por sua vez, como objeto.

A relação entre duas consciências é, assim, uma relação entre duas objetividades/subjetividades, que se visam mutuamente como objeto. Trata-se de luta entre "vida e morte", que, segundo Hegel, é travada entre consciências.

Conclusões

Aí surge o Lacan filósofo (2005a, p. 32): "O 'salto' que me caracteriza em relação a Hegel é justamente o que concerne à função do desejo".

No *Seminário 1*, capítulo III, p. 189 – "A báscula do desejo" – Lacan inicia o estudo do narcisismo e do Ego (Eu) para adentrar a exploração discursiva do desejo. Diz o mestre: "[Aqui] começamos a estar em plena filosofia". E ainda: "O desejo do homem é o desejo do outro, axioma válido para a captação imaginária".

Nas várias leituras que fizemos, o axioma anterior ora é atribuído a Hegel, ora a Kojève e, afinal, a Lacan.

De qualquer forma, o importante é assinalar que o "retorno a Freud" se deu à luz das ideias de Hegel, tendo como "supervisor" o filósofo russo Kojève.

Assim, o desejo seria a duplicação da passagem da consciência de si para a consciência do outro. Lacan aumenta o valor do desejo, que em Hegel estaria pouco explorado. Cria-se a partir daí a "universalidade afetiva", na qual se valorizam as leis da tribo e sua relação com as leis da *pólis*.

O homem quer ser reconhecido na sua subjetividade, na diferença, na singularidade de "sujeito", conforme conceito de Lacan. Ele quer ser conhecido como "sujeito desejante". *A dialética do apólogo, pois, é a própria história do desejo humano.*

Considerando a leitura da obra de Hegel um desafio intelectual, Lacan inclui em seus escritos conceitos delicados, finalizando: "O homem autônomo é o que se reconhece no seu trabalho, é o que exercita dominado pela sujeição ao seu trabalho, é aquele que vive a angústia da morte".

É do próprio Hegel: "Ninguém é inocente, a não ser a pedra".

Ludwig Wittgenstein

O *Seminário 17* (1969/1970), denominado *O avesso da psicanálise*, deu espaço a Lacan para referir-se longamente ao expressivo *Tractatus logico-philosophicus* de Ludwig Wittgenstein (1921), texto excepcional que o encaminhou à reformulação lógica de sua obra em 1965, permitindo-lhe, por isso mesmo, criar o termo "matema" (da álgebra lacaniana).

Wittgenstein (1889-1951) nasceu na Áustria. Naturalizado britânico, faleceu em Cambridge (Reino Unido), onde estudara e lecionara.

Ficou famoso pelas colaborações novidadeiras nos campos da lógica, da matemática, da linguagem e da mente humana. Foi considerado o responsável pela "virada" linguística na filosofia do século XX.

Lacan sabia escolher as boas companhias e os estudos enriquecedores.

Karl Marx

Da leitura que fiz em Lacan sobre as ideias de Marx (1818-1883), cheguei a importante conclusão: o seu posicionamento é semelhante ao de Henri Wallon, segundo o qual os elementos da teoria marxista não o comprometem com a forma de governo dos estados comunistas, mas tão somente com o "método de análise" da "dialética materialista."

Dois livros permitiram-me concluir com precisão. São eles: *A teoria da revolução do jovem Marx* (Löwy, 2002) e *Karl Marx ou o espírito do mundo* (Attali, 2007) – e, logicamente, o manuseio do próprio Lacan, às páginas 194, 235, 261, 442, 488, 495 e 884 dos *Escritos*.

As ideias de Marx podem ser vistas em dois momentos: o da ideologia humanista de sua juventude e o da dialética materialista alcançada com os estudos modernos sobre economia política.

Os filósofos que o influenciaram foram Hegel, Feuerback, Saint-Simon e o amigo de faculdade Engels, bem como Jean de Sismondi, economista e historiador suíço, Charles Fourier, francês, criador do cooperativismo e do socialismo utópico, e os gregos Demócrito e Epicuro.

A unidade da obra de Marx se faz sobre o conceito de práxis (prática) em que se baseia a evolução política, matriz de toda ação revolucionária autônoma do proletariado, da classe operária, numa virada democrática.

Marx acreditava que o homem é, em essência, um ser de práxis, isto é, um ser livre e criador, não subjugado à sociedade alienada, e sim participante de uma comunidade realmente humana.

A tríade capitalismo, socialismo e comunismo aconteceria na práxis do que seja verdadeiramente humanismo.

Partindo do princípio de que antes do socialismo e do comunismo há de se instalar o capitalismo, Marx foi saudado como o teórico genial que profetizou a missão civilizatória do capitalismo. Subvertendo os ensinamentos tradicionais das ciências sociais ele empolgou a história política de sua época, arregimentando multidões cheias de esperança para com o novo mundo por ele pregado messianicamente.

Suas ideias deram azo ao movimento bolchevista, emulando a revolução de 1917 na Rússia czarista, finalizada após penosa experiência social imposta por Stálin.

Remanejar a ordem social e suprimir a miséria dos povos continua o sonho dos humilhados, ofendidos e famélicos da Terra.

Diga-se de passagem, o diálogo entre psicanálise e marxismo já se iniciara com Freud, todavia sua extensão coube a Lacan produzir, exatamente durante os célebres e notórios acontecimentos de maio de 1968, em Paris.

Foi por esse tempo que Lacan conheceu o termo "mais-valia", criado por Marx para significar a força do trabalho do proletariado engolfada pelo "capital", não sendo assim contabilizado em proveito do trabalhador.

Fez-se então a correspondência entre a "mais-valia" e o "mais-de-gozar". Seria o desvio do gozo escondido, não capitalizado, desconhecido, pois, a quem de direito. O segredo do capital seria também o segredo da sexualidade humana. Simples assim?

Essa relação traz consequências para o laço social, como vemos no *Seminário 16*, tratando-se de um estudo difícil, que exige de Marx conhecimentos prévios sobre a subjetividade capitalista. Essa visão permitiria conhecer a homologia entre os dois conceitos, mas não a sua analogia.

Diga-se da homologia como verdadeira origem "embriológica" (ancestral) de várias estruturas. Já a analogia refere-se à semelhança da morfologia (aspectos) dessas estruturas. Na medicina, diríamos genótipo e fenótipo.

Konrad Lorenz

Nascido em 1903 e falecido em 1989, esse médico, biólogo, zoólogo e ornitólogo austríaco, recebeu em 1973 o prêmio Nobel por pesquisas sobre o comportamento animal e sua correlação com o ser humano.

Teria sido o primeiro cientista, seguido a Darwin, responsável pelo entendimento da transmissão hereditária desse comportamento. As suas descobertas permitiram a compreensão do que fosse inato ou instintual na vida animal.

Entre outros colegas, foi considerado o fundador da etologia – a ciência que nos permite conhecer os animais, facilitando-nos integrar-nos a eles. Lorenz foi o responsável pelo estudo da agressividade animal, estendendo-o à natureza humana.

Lacan utilizou-se das experiências etológicas de Lorenz, somando-as a experiências de outros autores, para identificar o movimento da mente humana em direção às possibilidades do estádio do espelho (imagem do corpo despedaçado – *morcelé*), indo da circuncisão religiosa à castração (real, imaginária, simbólica), à eviração, à destruição do corpo e aos ritos da tatuagem (incisão menor) dos povos ancestrais.

A intenção agressiva estaria embutida nos "maus objetos internos" de Melanie Klein e na determinação narcísica objetivo das vivências paranoicas. Um mundo de muita angústia e muito medo, referendado nas estripulias sadomasoquistas.

Nos *Escritos*, a partir da página 104, no capítulo "A agressividade em psicanálise", Lacan apresenta-nos cinco teses sobre o tema. Vamos adaptar os títulos:

Tese I – A agressividade se demonstra numa experiência que é subjetiva pela própria constituição.

Tese II – A agressividade se manifesta eficiente como intenção de agressão e como imagem de desmembramento corporal (*morcelé*).

Tese III – Os impactos de agressividade determinam as razões que motivam a técnica de análise, em sua função interpretativa.

Tese IV – A agressividade correlaciona-se a um modo da identificação chamado narcísico.

Tese V – A noção de agressividade como tal refere-se a uma das coordenadas intencionais do ser humano, envolvendo-se na categoria do espaço (ordem social), o que permite entender a neurose (veja o conflito entre o senhor e o escravo de Hegel).

Ainda: o jogo da agressividade do paciente contra o analista (como pessoa ou como semblante/simulacro) comporia a transferência negativa do "nó inaugural do drama analítico".

Para Lacan, a produção pictórica de H. Bosch seria um atlas de expressões agressivas que atormentam o ser humano, podendo buscar em K. Lorenz a inspiração do artista.

René Spitz

NASCIDO NA HUNGRIA EM 1887, foi criado em Budapeste, formando-se em Medicina. Passou por Viena, Berlim e Paris, sempre participando de investigações clínicas, sobretudo na área da psicanálise de crianças. Faleceu nos Estados Unidos em 1974, país para o qual mudara fugindo da perseguição nazista por ser judeu. Ali mergulhou com afinco no estudo das relações mãe-filho.

Descobriu a depressão anaclítica (sua obra *princeps*), a depressão infantil, os efeitos da privação afetiva, a doença do hospitalismo e o conceito de identidade humana. Era rigoroso na observação de seus pacientes, característica que o marcou como médico excepcional. Sua obra completa-se com a de Bowlby.

No *Seminário 5* (1999b), à página 342, Lacan utiliza-se de uma consideração de Spitz referente à inter-relação da criança com a máscara de qualquer objeto que a represente, estimulando-a ao sorriso e depois ao riso.

Supostamente, um fenômeno relacional conteria "a anuência possível a seu desejo" ou, objetivamente, o indicativo do significante da "presença".

As mães são as melhores testemunhas desse jogo de brincar com o infante para que ele se desdobre em risadas, permitindo-lhe o prazer e apontando para o gozo primevo.

Jean-Paul Sartre

JEAN-PAUL SARTRE (1905-1980) foi o representante maior do movimento existencial. Pregava que aos intelectuais cabia a militância política inspirada nos teores do materialismo dialético de Marx-Engels.

Seus princípios foram estabelecidos sobre a concepção revolucionária da práxis existencial humana, o homem em situação, relacionando-se com o mundo onde fora "lançado", encontrando aí o sentido da vida.

O entrecruzamento das ideias de Lacan com as de Sartre se daria, principalmente, pelas exposições encontradas em vários *Seminários*, nos quais Lacan comenta com pertinência os textos do filósofo (ver, por exemplo, a página 247 do *Seminário 1* e a página 826 dos *Escritos*, além de outras laudas a ser garimpadas).

Dessas supostas confrontações poder-se-iam identificar as respostas de Lacan às teses de Sartre, o responsável por um dos últimos projetos filosóficos do século XX.

As preocupações lacanianas perpassam Sartre pela questão da consciência como realidade ontológica, pela fenomenologia do olhar (a metáfora escópica), pelos impasses das relações amorosas, pelo risco do solipsismo, pelo entendimento ontológico do desejo, pela destituição do inconsciente, pelo estudo das perversões e outros temas da transcendência do outro.

Para que os interessados possam conhecer melhor esses conteúdos sartreanos pautados por Lacan, recomendo a tese da filósofa e psicanalista Camila de Salles Gonçalves, *Desilusão e história na psicanálise de Sartre* (1996).

Tal sugestão seria a forma de nos prepararmos para a compreensão das observações de Lacan, pois ali enfrentaremos a "questão do método", destacando-se a oposição da psicanálise de Sartre à psicanálise de Freud, assunto que o livro de Camila expõe com maestria. Para considerar a obra de Sartre, a autora inclui os 3Hs (Husserl, Heidegger e Hegel) e toda a ferramentaria filosófica capaz de esclarecer as dúvidas pretendidas.

Em sua obra-prima *O ser e o nada*, J. P. Sartre expõe conceitos que o levam a criar a psicanálise existencial, dedicando-se, particularmente, ao tema da liberdade (1940/1950) exclamando desabridamente sobre a liberdade concreta do sujeito concreto, em situação, na contramão da liberdade teórica, abstrata, reacionária, mecanicista.

Por incrível que pareça, Sartre não se preocupou com a linguagem nem com a linguística, embora fosse admirador de Lévi--Strauss e Saussure, inspiradores de Lacan.

Sartre foi o responsável pelo projeto psicanalítico derivado da biografia de Gustave Flaubert, chancelando que por essa época não se conhecia bem o pensamento de Lacan, podendo, entretanto, afirmar, num evidente paradoxo: "A minha descrição não se distancia de suas concepções".

Registre-se, por fim, o livro de Clotilde Leguil, *Sartre avec Lacan – Corrélation antinomique, liaison dangereuse* [Sartre com Lacan – Correlação antinômica e ligações perigosas] (2012). Nesse texto explora-se e se hipotetiza uma correlação contrária e quase secreta da filosofia desses autores.

Sartre propôs "a aventura existencial dos possíveis", antepondo-se à delirante busca do impossível, à paixão pelo impossível de Lacan exposta em sua última clínica, a do real.

6. Professores russos de Lacan

Alexandre Koyré e Alexandre Kojève

Koyré nasceu na Rússia em 1892 e faleceu em Paris em 1964. Com formação na Universidade de Göttingen, destacou-se como historiador do pensamento científico e filosófico do século XX.

Está presente na obra de Lacan, de quem foi professor, particularmente na "teoria do sujeito" e suas aplicações na clínica psicanalítica. Lacan o considerava o seu "guia" – ao lado de Kojève, com quem também estudara.

Kojève nasceu na Rússia em 1902 e faleceu na Bélgica em 1968. Formado pela Universidade Humboldt de Berlim, era considerado um filósofo romântico. Foi professor de André Breton, George Bataille e Merleau-Ponty.

Influenciado por Hegel, somando-se às ideias de Marx e Heidegger, por sua vez foi considerado "o filósofo dos filósofos". No campo político expressou-se pelo comunismo e propôs "um governo do futuro", ensinando aos políticos a arte de governar. Sua tese de mestrado foi orientada pelo psiquiatra-filósofo Karl Jaspers.

O melhor texto que encontrei sobre as ideias desses dois professores e sua articulação com o pensamento de Lacan foi no livro *A obra clara*, de Jean-Claude Milner (1996). Milner considera Lacan um autor cristalino, desde que seja lido com atenção: "existem em Lacan proposições suficientemente robustas para serem extraídas de seu próprio campo, capazes de suportar mudanças de posição e modificações do espaço discursivo".

Ao discutir a "teoria do moderno" na obra de Lacan, Milner propõe usar o costume dos geômetras, raciocinando em termos de axiomas e teoremas, expondo com clareza os teoremas de Kojève e Koyré.

Teorema de Kojève:
1. Há entre o mundo antigo e o universo moderno um *corte*.
2. Este corte vem do cristianismo.

Teorema de Koyré:
1. Entre a episteme antiga e a ciência moderna existe um *corte*.
2. A ciência moderna é a ciência galileana, cujo tipo é a física matematizada.
3. Matematizando seu objeto, a ciência galileana o despoja de suas qualidades sensíveis.

Daí nasce a hipótese de Lacan: os teoremas de Koyré são um caso particular dos teoremas de Kojève, surgindo, então, o que Milner chamou de conclusões ou *lemas de Lacan*

1. A ciência moderna constituiu-se pelo cristianismo, na medida em que ele se distingue do mundo antigo.
2. Já que o ponto de distinção entre o cristianismo e o mundo antigo provém do judaísmo, a ciência moderna se constitui pelo que há de judaísmo no cristianismo.

3   Tudo o que é moderno é sincrônico da ciência galileana.

Por fim, afirma que esses dispositivos passam pela afirmação de Descartes sobre o cogito, proposição exposta repetidas vezes por Hegel. Conclui Milner: "Naturalmente não se trata apenas de uma correlação cronológica, supomos, além disso um parentesco discursivo. A teoria da ciência é, pois, derivada, de Koyré e Kojève."

A equação de Lacan assim é formulada: "O sujeito sobre o qual operamos em psicanálise só pode ser o sujeito da ciência" ("Ciência e verdade", página 558 dos *Escritos*). E o sujeito da ciência "nada é exceto o nome do sujeito, na medida em que, por hipótese, a ciência moderna determina seu modo de constituição".

Pela mobilização de outros que Lacan promove, Milner afirma que toda teoria da ciência é derivada de Koyré e Kojève, devendo o texto de Lacan se chamar "doutrinas da ciência", incluindo Descartes, Hegel e outros.

Um autor que necessita ser entendido nas dúvidas lacanianas é Karl Popper, que afirma: "Uma proposição da ciência deve ser refutável".

Adendo sobre Karl Popper

ATUALMENTE, A PROPOSTA QUE mais atende às exigências das ciências psíquicas, humanas e comportamentais é o "princípio da refutabilidade", esquematizado por Karl Popper. Ainda que a autoridade desse pensador tenha declinado depois de sua morte, são dele as ideias que mais servem à área psicanalítica.

Para ele, toda teoria deveria ser provada diante de fatos concretos e não teóricos. E se completa em um ineditismo: propõe que a teoria deva ser "testada negativamente, ou seja, ela deve ser refutada pela experiência a ponto de provar onde ela é possível de estar falsificada".

Então, só seria ciência, do seu ponto de vista, aquela que tivesse valores probabilísticos, numa constante e renhida luta para deixar de ser provisória. Toda ciência, a partir dessa visão, seria sempre hipotética e conjectural.

7. Autores barrocos

Baltasar Gracián e François de La Rochefoucauld

GRACIÁN (1601-1658) E LA Rochefoucauld (1613-1680) pertencem à linha de pensadores memorialistas e moralistas de seu tempo. Os estudiosos de Lacan referem-se a ele como um personagem "balzaquiano" (*sic*) sonhando viver no mundo semelhante ao da nobreza do Antigo Regime (século XVII), onde se expressaram os dois escritores.

O Antigo Regime foi um sistema social e político aristocrático, vivido pela França, cujo último rei foi Luís XVI. Esse período vigorou entre os séculos XVI e XVIII, permanecendo até a Revolução Francesa (1789), encerrando sua estima com a queda da Bastilha.

Lacan não paralisou seu interesse estilístico nesses dois autores; assumiu o epíteto que lhe deram: "o Góngora da psicanálise". Luis Góngora fora o responsável pelo barroco espanhol, com seu rebuscamento característico.

Como Góngora, Lacan também foi comparado ao poeta Mallarmé, aproximação literária usada para justificar os seus escritos difíceis a que ele próprio explicava: teria criado dificuldades para que o cerne de suas ideias fosse alcançado somente depois de muito esforço intelectual dos interessados em sua obra.

Segundo Haroldo de Campos (2011), uma edição da revista *Yale French Studies* de 1966 traz consideração conclusiva do autor Jan Miel: "Uma palavra final sobre o estilo de Jacques Lacan. Como amigo ou médico de alguns dos principais artistas e poetas deste século [XX], e sendo ele próprio um agudo crítico de literatura, o Dr. Lacan não se regateia as vantagens de uma expressão literária complexa. Seu estilo, chamado mallarmeano por seus próprios colegas, é peculiar e, por vezes, imensamente difícil, de um modo deliberado".

Ao ler Gracián, nota-se interessante proximidade com a vida intelectual, os escritos e a personalidade de Lacan.

Na introdução de *A arte da sabedoria mundana* (1992), Baltasar Gracián explica:

> Muitos dos hábitos estilísticos de Gracián são facilmente reconhecíveis, mesmo nas traduções: antíteses e paradoxos; uso constante de elipses; concentração do significado dada por meio de trocadilhos e jogos de palavras; falta de ligação entre uma sentença e outra [...] Tais características constituem mais do que idiossincrasias: resultam de uma visão da natureza humana.

Vejamos algumas citações de Lacan (2003b) relacionadas com a obra de Gracián: "As verdades que mais nos interessam se exprimem sempre pela metade. Sempre digo a verdade: não toda porque dizê-la toda não se consegue. Dizê-la toda é impossível, materialmente faltam palavras"; "A abordagem de Gracián é dialética: conforme se verifica com os provérbios populares, um aforisma se ramifica em outro, contradizendo-o ou complementando-o"; "Não expresse as ideias com clareza demais. Para ter valor, as coisas têm de ser difíceis: se não o entenderem as pessoas o terão em mais alta conta."

Vejamos axiomas do autor espanhol que confirmam as aproximações com o estilo de Lacan: "Manter o suspense. O êxito inesperado ganha admiração"; "Não ceder a paixões: a qualidade espiritual mais elevada"; "Agir com intenções: seja segunda ou primeira"; "Conhecimento e intenções nobres asseguram que seu sucesso dê frutos"; "Melhor ser intensivo do que extensivo"; "Não ser vulgar em nada"; "Ter bons repentes: os bons impulsos nascem de uma feliz presença de espírito"; "Não ceder a um capricho vulgar. Os grandes não se entregam a impressões passageiras"; "Escolher o modelo heroico"; "Não se fazer entender facilmente."

Gracián inspirou La Rochefoucauld, e ambos inspiraram a Freud e Nietzsche, numa visão humanista a que Lacan também se filiara.

Em *Escritos*, no capítulo sobre criminologia, à página 148, Lacan refere-se à expressão de Gracián que propõe "exprimir a ferocidade do homem em relação a seu semelhante, ultrapassando tudo o que podem fazer os animais e que, ante a ameaça que a ferocidade representa para a natureza inteira, os próprios carniceiros recuam horrorizados".

Essa crueldade implicaria a própria humanidade, eis porque Gracián teria aversão imorredoura pela insensatez humana.

A máxima oracular do talento de La Rochefoucauld é citada por Lacan para dar a dimensão do amor-próprio: "Não posso aceitar a ideia de ser libertado por outro que não seja eu mesmo". Por isso Lacan afirma que não cabe ao analista a vida de seu paciente, mas tão somente dirigir o tratamento.

E, ainda, à página 265 dos *Escritos*, cita a máxima de La Rochefoucauld, a que chama de célebre – "Há pessoas que nunca se haveriam apaixonado se nunca tivessem ouvido falar de amor" –, para inseri-la na dialética do complexo de Édipo. À página 121 dos *Escritos* retoma o autor barroco para falar sobre "incompatibilidade entre o casamento e os prazeres."

Anote-se alguns axiomas do livro *Máximas e reflexões*, de François de La Rochefoucauld (1994): "O amor-próprio aumenta ou diminui as boas qualidades dos amigos na proporção da satisfação que nos dão"; "O orgulho não quer dever, o amor-próprio não quer pagar"; "Há no ciúme mais amor-próprio do que amor"; "O amor-próprio se fez Deus para que o atormentasse em todas as ações da vida"; "O orgulho é inseparável do amor-próprio".

8. Acadêmicos com concepções marxistas

Georges Politzer

FILÓSOFO, PSICÓLOGO E TEÓRICO marxista, Politzer nasceu na Hungria em 1903 e foi morto nos arredores de Paris em 1942 – participando da Resistência Francesa na Segunda Guerra Mundial, foi preso, torturado e fuzilado pela Gestapo aos 39 anos.

Como psicólogo, sua principal obra foi *Crítica aos fundamentos da psicologia* (1928), escrita com base na *Interpretação dos sonhos* de Freud, donde desenvolveu ideias inovadoras sobre o que denominara "psicologia concreta": idealismo, materialismo, agnosticismo, inconsciente, metafísica, dialética e abstrações psicológicas.

Jacques Lacan foi considerado o seu leitor ou o seu "passador". Segundo Márcio Maringuela (2007), paradoxalmente, sua tese de 1932 não faz nenhuma referência aos textos de Politzer, cuja presença é impregnante na estrutura de argumentos lacanianos. Maringuela também se refere à ligação entre Politzer, Lacan e o surrealismo no que tange à estrutura paranoica.

Em que pese a importância cultural de Politzer, em certo momento ele se desinteressou da psicanálise, ocorrendo esse transe quando seu marxismo se tornou doutrinário.

Henri Wallon

WALLON (1879-1962) NASCEU NA França e foi criado em uma família de intelectuais ligados à tradição liberal, republicano-democrata e inspirada no triunfo da justiça e do interesse coletivo.

Na juventude, vivida à época da Segunda Guerra Mundial, fez parte da resistência francesa à invasão nazista. Ao fim do conflito, foi indicado para ocupar o Ministério da Educação. Filiou-se ao Partido Comunista Francês em 1942.

Wallon começou sua vida acadêmica como filósofo, passou para a psicologia e a pedagogia, finalizando-a como médico. Todavia sempre foi preocupado com a criança, "a criança do homem", diria René Zazzo.

Apesar de sua formação marxista, não se interessava pela forma de governo dos países comunistas nem pelos dogmas dessa doutrina. Encantava-o o "método de análise" proposto por Marx.

Em matéria de psicologia, propunha o "método materialista-dialético" para confirmar as relações entre o biológico e o psíquico. Era a denominada "teoria das emoções", posta entre esses dois polos do conhecimento.

Estudando as crianças bem novas, estabeleceu o axioma de que a função da emoção era ligar a criança ao seu ambiente.

Se hoje suas ideias são renovadas, seu inconformismo ideológico marcou a filosofia, a psicologia e a medicina, principalmente pelas teses de cunho social e sua soberba cultura humanística.

Sua obra de estudos sobre a vida mental é imensa. Aqui vou ater-me ao que produziu servindo a Jacques Lacan na teoria estabelecida sobre o "estádio do espelho", apresentada em 1936 no Congresso Psicanalítico de Marienbad e, de forma mais bem acabada, em 1949, no XVI Congresso Internacional de Psicanálise

(Zurique), com o título "O estádio do espelho como formador da função do eu" (ver páginas 96 a 103 dos *Escritos*). O trabalho de ambos fluiu para o que se pode denominar "rito de passagem".

A abordagem teórica e metodológica de Wallon, particularmente no estudo da psicologia infantil, deveu-se a complexas e variadas influências. Uma obra pontilhada de informações colhidas nas mais diversas áreas do conhecimento humano. Esboçava, então, a "teoria do progresso da consciência da criança", dando realce aos saltos do imaginário, indispensáveis ao psicólogo.

Diria ele: "Aquele que se proíbe imaginar não descobre nada". Daí porque foi considerado um homem de intuição no esforço intelectual por ele empenhado. Por seu tempo, afirmara que a experiência espacial da criança diante de uma superfície espelhada se constituiria num ritual de júbilo, ocorrendo tal fenômeno sociopsicológico entre 6 e 8 meses de idade. Olhar-se refletido possibilitaria a unificação do seu eu, até então vivido como fragmentado (*corps morcelé*). Essa fase, além de representar a tese de aprendizagem sensitivo-motora, é o momento preliminar indispensável à percepção do mundo que a envolve exteriormente, num processo existencial ou ontológico.

O estádio do espelho remete-nos ao mito de Narciso e leva-nos, na literatura, ao escrito de Havelock Ellis denominado "As mulheres cativadas por sua imagem no espelho" (1898), texto útil para o entendimento das posições de Lacan alinhadas às de Freud.

Ao longo dessas informações de Wallon e Ellis, Lacan denominou a questão como "identificação primordial com uma imagem ideal de si mesmo", na qual, para ele, o Eu é a captação imaginária própria do narcisismo, dirigindo-se a partir daí à realidade simbólica, onde vão se inserir a Linguagem, a Lei e o Outro.

A integração dos fatores biológicos aos fatores sociais é o ponto alto e original da maestria walloniana, dando-lhe unidade conceitual. É dele a seguinte frase: "A criança nasce para a vida psíquica pela emoção, sendo isso o que solda o indivíduo à vida social, pelo que pode haver de mais fundamental na sua vida biológica" (1925/2007).

O estudo da criança e sua motricidade seria o prelúdio do desenvolvimento mental do adulto, o que só pode ser experienciado na observação clínica.

Sua obra mais acurada é a tese de doutorado *A criança turbulenta*, na qual sobressaem duas centenas de observações semióticas com inestimáveis conclusões clínicas sobre reações motoras da criança em relação às emoções e à sociedade. Daí surgem inúmeros textos sempre referentes à consciência do próprio corpo, inspirando Lacan para sua tese do "estádio do espelho".

Na biografia de Lacan, Roudinesco por várias vezes se refere a Henri Wallon no que tange ao uso que dele faz o psicanalista (Lacan), afirmando que o psicólogo (Wallon) fora decisivo para as suas definições, entretanto não recebendo os créditos merecidos. O mestre da nova psicanálise a domina e usa as gêneses etimológicas, nas quais encontra o que lhe favorece nas concepções desejadas. Mal-agradecido?

A pedido de Henri Wallon, Lacan redigiu para a *Encyclopedie Française* o capítulo "Os complexos familiares" ou "A família", no qual é referido o caráter fusional e ao mesmo tempo alienante: "É no outro que o sujeito se identifica e até se experimenta a princípio".

Diante do que registramos até agora, pode-se afirmar, semelhante à lavra de muitos autores, que a construção da pessoa, pesquisada por Wallon, e a constituição do sujeito, pesquisada por Lacan, estabelecem relações fundas e necessárias.

Em resumo, "devido à compreensão simbólica do espaço imaginário, inserta-se a unidade corporal do Eu". Lacan soube abeberar-se nessa afirmação.

Georg Lukács

Filósofo húngaro de formação marxista, Lukács (1885-1971) nasceu em Budapeste, tendo estudado na Universidade Humboldt de Berlim. Doutorou-se em Filosofia no ano de 1909. Seu primeiro livro chamou-se *A alma e as formas*.

Para ele, a ciência e a arte seriam responsáveis pela constituição do homem, numa experiência do particular. Cada categoria referida, a seu modo, aspiraria a totalidade: a arte, com seu método antropomórfico; a ciência, com seu método de busca das leis gerais.

Segundo esse filósofo, a dialética seria o instrumento metodológico, a categoria fundamental do processo histórico em que o ser humano estaria inserido. E nesse processo histórico se mostraria a "consciência histórica".

Bertold Brecht, também marxista, teatrólogo de grande importância no mundo cultural, fez críticas a Lukács em torno do ano de 1932, o que ficou conhecido como "a grande polêmica". Um tema difícil para expor aqui. Lukács teria insistido na dimensão hegeliana da doutrina de Marx e na tese da consciência de classe como ética do proletariado. Seus estudos, por fim, concentraram-se na literatura e na estética, fazendo ser conhecido como um "historiador literário".

Segundo Slavoj Žižek (2010), Lacan se apegou a Lukács pelo conteúdo de seu livro *História e consciência de classe* (2019), publicado originalmente em 1923.

Lacan estaria engastado nos acessos da simbolização referidos na práxis da coletividade, conforme Lukács. À página 286 dos *Escritos*, ele diz: "A função simbólica apresenta-se como um duplo movimento no sujeito ('momento duplo'). O homem faz de sua ação um objeto desenvolvendo em tempo hábil seu lugar fundador".

À página 287, continua: "Nesta consciência histórica, o homem que trabalha na produção, em nossa sociedade, inclui-se, num primeiro tempo, na categoria de proletários; no segundo tempo, em nome desse vínculo, ele faz greve geral".

Um jeito Lacan de fazer blague com coisas sérias.

9. Literatura e arte

A literatura de James Joyce

James Augustine Aloysius Joyce nasceu em Dublin (Irlanda) em 1882 e morreu em Zurique (Suíça) em 1941. Diplomou-se em Letras em 1902 pela Universidade de Dublin. Foi o mais velho de dez filhos que sobreviveram à infância. O primogênito morrera ao nascer, o que o levou a dizer: "Minha vida foi sepultada com ele". A família perambulou por cerca de 13 endereços, decaindo socialmente a cada um deles, por dificuldades financeiras. Esse andar errático se repetiria na vida de Joyce. A mãe, profundamente religiosa, de porte nobre e maneiras educadas, era versada em dança e canto. Possessiva em relação a James, exigia dos filhos castidade e obrigações religiosas. Mais tarde, Joyce escreveria com ternura: "Uma boa mãe, com um cheiro melhor que o do pai". O pai, 14 anos mais velho que a esposa, conheceu-a no coro da igreja e cortejou-a contra a vontade da mãe dela. Mesmo diante das vicissitudes, era alegre e jovial, com saudável espírito de humor.

Alimentava, entretanto, uma idiossincrasia pela família da esposa e, muitas vezes, também por ela. Diz sua biografia que era um talentoso contador de histórias, um tenor expressivo, mas com "desesperada selvageria" escondida.

Certa vez, esse pai, entendendo que Joyce precisava de uma experiência forte para sua formação de homem, dependurou-o de cabeça para baixo, por vários minutos, numa ponte sobre o rio. Voltava para casa embriagado, barulhento, irado e, um dia, tentou estrangular a mulher.

James era um jovem alegre e expansivo, cantava nas festas musicais da família e acompanhava os pais em recitais. Amava a mãe de maneira superlativa, identificando-a com a Virgem Maria. Com 6 anos e meio, foi matriculado no "sombrio colégio jesuíta de Clongowes Wood", um prédio feito de pedra. Na vida adulta, escreveria, referindo-se aos jesuítas: "Uma ordem cruel, que traz o nome de Jesus por antífrase". Mas não negava a formação dada por eles, a qual chamava de inestimável. Joyce passava mais tempo na enfermaria da escola do que na sala de aula. Ainda criança, exerceu o papel de sacristão. O ritual e a liturgia da Igreja Católica causariam nele uma espécie de êxtase. Tinha um medo tão entranhado que chegava a visualizar a morte avançando por seu corpo pelas pontas dos pés e das mãos.

Sua estada nesse primeiro colégio durou cerca de quatro anos. Depois, passou por vários outros estabelecimentos jesuíticos, distanciando-se da mãe que tanto amava. Em sua crisma, o nome de santo que escolheu para seu patronímico foi Aloysius, religioso que, conforme a história católica, não permitia que a mãe o abraçasse por temer o contato com mulheres.

Em certo momento de sua vida, na adolescência, foi tomado de uma "indiferença avassaladora", com dúvidas e rebelião contra tudo e todos. Seu despertar sexual e a primeira experiência com uma prostituta deram-lhe a consciência de que não poderia ficar celibatário, vivendo longe do pecado. Por toda a vida, foi fascinado por prostíbulos e bordéis, achando esses lugares os mais interessantes de uma cidade. Decidira, como deixou registrado, "pecar com outra pessoa que exultasse com ele nesse pecado".

Sua família pode ser resumida nas palavras de Edna O'Brien (1999), que registrou em biografia breve: "O jovem reconhecia que a família era um ninho do qual devia voar, mas também sabia que aquelas criaturas encalhadas e aprisionadas, a mãe passiva, o pai furioso, os irmãos e irmãs acovardados e perplexos, constituíam o potente material de suas obras futuras".

Para ele, as grandes histórias começavam no caldeirão familiar, como também pensava Sófocles. A vida de James Joyce foi muito mais densa e atormentada do que podemos registrar neste espaço. Ver-se-á que cada personagem de sua obra tem, por trás, uma pessoa real, a *dramatis personae* de sua vida. Rompeu com a Igreja Católica, mas, de certa forma, não a deixou. Os motivos religiosos impregnariam sua obra, ainda que dissesse que os padres eram os destruidores da espiritualidade. Os humores de Joyce oscilavam entre a ternura e a raiva, tiranizando os membros mais fracos da família. Sua relação com o pai, na mocidade, era de verdadeira guerra pessoal, com uma linguagem chula trocada entre eles.

Na juventude, ao mesmo tempo em que tinha uma mente plena e prodigiosa, era conhecido nos bares e nas rodas sociais como um arrogante de trajes puídos, sapatos brancos e boné de iatista, desafiando seus pares a discutir com ele sobre São Tomás de Aquino e Euclides, entre outros. Arrostava pessoalmente poetas como W. B. Yeats, desacatando-os e fazendo afirmações insólitas. Humilhava os próprios irmãos, gabando-se de sua inteligência e perspicácia. Quando ainda morava em casa, à noite, ao dormir com os irmãos na mesma cama, inovou durante a tradicional conversa que precede o sono, desfiando ininterruptamente o pensamento, método predecessor que inauguraria sua linguagem em *Ulisses*.

À leitura de sua biografia, não há como deixar de identificar – no seu fracasso como estudante de Medicina por abandono do curso, no uso abusivo de bebida que fazia dele um alcoólatra, nas noitadas com as prostitutas e em outras referências de tal naipe – um cenário de vida escatológico. Joyce, no entanto, tinha uma cultura soberba e seu maior biógrafo, Richard Ellmann (1989), afirmou que ele, aos 20 anos, já lera de tudo. Lia de modo voraz: livros, panfletos, manuais, guias da cidade, alta literatura e leituras de baixo calão, num aranzel de gostos estéticos e ecléticos, numa sede de saber. Nos arroubos juvenis, comparava-se a Charles Parnell (líder nacionalista irlandês), Dante, Byron, Lúcifer e Jesus Cristo. Foi professor de línguas, sendo visto por seus alunos como um "anarquista" vivaz, excêntrico e profano. Gostava de lançar frases escandalosas para a época, a que chamava de "vinhetas": "Um pão recheado é a Virgem Maria grávida". Loquaz e sarcástico, tinha os lábios esculpidos finamente, como "uma dura linha horizontal". Como professor, incentivava jogos de palavras, quadros verbais e trocadilhos, fazendo brincadeiras e gozações que eram bem recebidas pelos alunos.

Sua proposta de escrever continha "sexualidade cerebral" e "bruto fervor corporal ensandecido". Quebraria os tabus da Inglaterra vitoriana escrevendo sobre cópula, travestismos, onanismo, coprofilia e tudo mais que fosse repelente para a sociedade de então.

Aos 22 anos, encontrou aquela que seria sua mulher, Nora, uma moça da zona rural. Pediu dinheiro aos amigos e partiu para uma morada errática pelo mundo, dizendo: "Agora vou criar a minha própria lenda e mantê-la". A vida prática girava em torno de aulas particulares, palestras públicas, do trabalho como escriturário em bancos, sempre vivendo na miséria, com a família acrescida posteriormente por dois filhos, Giorgio e Lucia. Manteve correspondência com o irmão Stanislaus, que ouvia suas queixas e registrava para a posterioridade suas observações críticas. Seu estado desesperador viria já na idade madura. Enquanto isso, era homem de acreditar em ocultismo e augúrios oraculares existentes nas estrelas, e desejava "copular com a alma". Apesar de ter sido um apaixonado por sua cidade natal, Dublin – da qual dissera: "Para mim, será sempre a primeira cidade do mundo" –, permanece enterrado na Suíça, em parte pelas dificuldades burocráticas, em parte porque os agentes funerários de Dublin negavam a ideia de "cuidar de restos impuros".

Por sua biografia, que pode ser consultada mais detalhadamente em outras fontes, ficamos diante de uma personalidade atormentada, sofrida, corrosiva. No entanto, clinicamente, não se pode diagnosticá-lo como verdadeiro psicótico (esquizofrênico ou paranoico). Somente a apreciação pontual assentada na teoria e na clínica da psicose, como quis Lacan, nos fornecerá os elementos para dizer que Joyce era portador de uma estrutura psicótica, de uma psicose não desencadeada.

E o que é isso?

No *Seminário 23*, sobre Joyce (O *sinthoma*, 2007b), Lacan afirmou que a literatura foi sua sustentação fálica, funcionando como suplência à forclusão do nome do pai. Joyce, como vimos no resumo biográfico, teria dito: "Vou fazer a minha lenda". Esse desejo de construir um nome, o que foi feito por meio da arte literária, compensaria a carência paterna.

O escritor escreve, por isso estará imerso no real, pois a letra é real. O falante fala, por isso estará imerso no simbólico, pois a palavra falada é o simbólico. O escrito seria como um resíduo das articulações significantes que se dão na fala. No escrito, o inconsciente lacaniano não está presente, pois ele se dá no decorrer da fala, por meio da cadeia de significantes. Na escrita literária, o sintoma está alijado do grafite, pois nela não há o inconsciente. Essas conclusões passam ao largo das ideias freudianas sobre psicose e parecem não atender à ideia da arte como sublimação do autor. Remetem-nos, porém, à noção de gozo, pois a obra de Joyce não está fora do gozo, mas num gozo que precisa ser decifrado.

O gozo psicótico é um gozo imediato, fora do sentido, mas não sem sentido. Trata-se do gozo do Outro e no Outro, o gozo absoluto. E, como todo gozo, é singular e individual; porém, é irredutível, rígido, inflexível. Por tudo isso, Lacan é enfático: Joyce é o sintoma. E explica que na psicose existe sempre uma tentativa de ser o sintoma, o que impediria o sujeito de delirar. Se essa tentativa for falha, estabelece-se o delírio. Então, em princípio, pode-se confirmar que Joyce era o sintoma. Todavia, cabe aqui um esclarecimento. Lacan usa o termo *sinthoma*, que, etimologicamente, significa "aquilo que mantém junto, o que suporta junto", e não o *sintoma* no sentido da psicopatologia clássica. Ele o faz para ser fiel a seu esquema topológico do real, simbólico e imaginário, que devem estar juntos para evitar a desagregação. O *sinthoma* é, pois, o quarto elemento do nó de Borromeu (veja a figura a seguir), responsável pelo fato de muitos psicóticos, ou estruturas psicóticas, terem êxito social e profissional sem delírios, alucinações ou desintegrações. O nome do pai poderá estar forcluído, mas a inexistência do delírio clássico é garantida pelas suplências. Então, no caso Joyce, não é que não exista o sintoma. Lacan faz um movimento do ter para o ser: Joyce não tem o sintoma, ele é o sintoma.

Figura 1 – O quarto elemento do nó de Borromeu em destaque

Assim, o seminário *O sinthoma* (2007b) ultrapassa o "Discurso de Roma" (1955). Ali, Lacan afirmava que "a loucura é renunciar a se fazer reconhecer". No caso Joyce, o protagonista comporta-se exatamente ao contrário: passa a vida lutando por fazer-se reconhecer. "Agora vou criar a minha própria lenda e mantê-la." Os fenômenos elementares, as palavras importantes, enfim, o automatismo mental que tentava se impor a ele eram transformados em palavras escritas, com as quais ele fazia seus jogos, seus desafios, criando neologismos e ideações abstratas – que depois interessariam aos intelectuais e ao público universitário.

Praticamente toda a obra de Joyce foi garimpada por Lacan para surpreender não o texto literário como tal, mas o deslizamento dos significantes. Com isso, o subtexto e as entrelinhas, tão enfatizados pelos freudianos, são superados por Lacan.

Ao ler Joyce de um modo novo e diferente, ele estabeleceu um modo diferente e novo de transmitir a psicanálise. Então, na apresentação de Joyce, o sintoma não é só a estrutura psicótica apresentada, mas a psicose sem loucura aparente. Mais que isso, pode-se detectar uma forma de estabilização da psicose diferente da estabilização delirante de Schreber.

Em 20 de janeiro de 1976, Jacques Aubert pronunciou uma conferência no seminário de Lacan publicado no *Seminário 23 – O sinthoma* (2007b). Com modéstia, ele, especialista na literatura joyceana, diz que o trabalho a ser apresentado "não está bem-feito", estando seus "nós" mal articulados. De qualquer forma, foi essa apresentação que inspirou Lacan a reconhecer a psicose não sintomática, sem a loucura historicamente reconhecida.

O livro clássico de James Joyce, *Ulisses,* deveria ser lido por duas vezes pelo menos: uma primeira, virgem, pelo leitor interessado, e outras vezes depois do conhecimento das ideias de Aubert e do próprio Lacan. Trata-se de um desafio para simples leitores, para estudiosos de Joyce e para os curiosos da psicopatologia lacaniana.

Segui esse caminho proposto, porém confesso que minha formação de médico psiquiatra não me possibilitou a melhor forma de esclarecer meu leitor, supostamente um iniciante nas lides do "fala-ser" lacaniano.

Ouso apenas o encaminhamento didático: ler Joyce, ler Aubert, ler Lacan. Com paciência, persistência e esperança...

Lacan cita todas as obras de Joyce: *Música de câmara, Finnegans wake, Retrato do artista quando jovem, Dublinenses* e *Ulisses,* retirando de cada uma o valor estético capaz de auxiliá-lo em sua nova psicanálise.

Somam-se em Joyce: autobiografia, elementos testemunhais, ensaios e o imaginário ficcional. Intui-se que a sua trama literária serviu para enfrentar na própria vida a "loucura". Parece aos estudiosos, e particularmente a Lacan, que nesses textos a linguagem trabalhou à exaustão, visando a essa intenção.

O título de seu trabalho foi *Joyce, o sinthoma*, também transcrito como *Joyce, o símbolo*. "Joyce, o sinthoma (sinthome), o santhomem, tem homofonia com a santidade pela qual fui televisionado", diz Lacan. Ao dar a epígrafe "Joyce, o sinthoma", Lacan quis lhe atribuir um "nome próprio" – com o qual, em sua opinião, Joyce supostamente se reconheceria.

Os textos de Joyce seriam repletos de questões altamente cativantes, fascinantes para os estudiosos universitários refletirem. Ele teria dito: "O que escrevo não deixará de dar ocupação aos universitários por 300 anos". Da sabedoria de Joyce foi dito por alguém: "loucusofia" (em francês: *folisophie*).

Para falar da escrita joyceana, Lacan recorre a vários autores que o estudaram, e nos recomenda: "Leiam as páginas de *Finnegans Wake* sem procurar compreender. Isso se lê. Se isso se lê, como me fazia notar alguém que me é próximo, é porque sentimos presente o *gozo* daquele que escreveu isso".

Joyce seduz de modo irresistível, torna brilhante os olhos do leitor, porque se utiliza da "Lalíngua" (no caso, inglesa) – que é o suporte do seu gozo, do seu sintoma.

Diz Lacan (2007b, p. 163): "O sintoma é puramente o que lalíngua condiciona, mas de certa maneira Joyce o eleva à potência da linguagem, tornando-a 'não analisável'". E mais: "A literatura não pode mais ser, depois dele, o que ela era antes".

E também se pode afirmar, obviamente com Lacan, que o inconsciente se vincula ao sintoma, caracterizando o que mais de singular existe em cada sujeito: "Joyce foi o individual".

Joyce teria sido um fã da senhora Blavatsky (teósofa), que Lacan identifica como forma de "debilidade mental" imposta por qualquer tipo de iniciação. É aqui que Lacan introduz a noção de nó.

Ao adentrarmos o tema do nó (nó de Borromeu) é que iniciamos de fato no último ensino de Lacan. Os *nós* teriam o significado da "escrita", sendo o *nó* no singular uma "letra". Somando-se a isso, temos o registro RSI, já comentado em outras páginas. Então a psicanálise lacaniana estaria eventualmente completa.

A literatura de Edgar Allan Poe (paráfrase da *Carta roubada*)

O PRIMEIRO CAPÍTULO DOS *Escritos* (1970/1998b) denomina-se "Seminário sobre 'A carta roubada'". Para entendê-lo, é de boa monta lermos a novela de Edgar Allan Poe, que pode ser encontrada no volume *Histórias extraordinárias* (2017).

O texto inscrito participa dos bons contos da literatura norte-americana. Na França, foi traduzido por Baudelaire, influenciando Valéry e Mallarmé, bem como servindo a Lacan para as percepções psicológicas de reconhecidas antecipações surrealistas.

Edgar Alan Poe (1809-1884) frequentou os salões literários de Nova York, porém não suportou a decadência física que o acometeu por força de surtos de dipsomania, do vício da jogatina e da indisciplina, o que resultou em sua expulsão da Escola Militar de West Point. Um elemento exótico de sua biografia foi o casamento secreto que realizou com sua prima de 13 anos de idade, com nítida aparência infantil.

Segundo seus estudiosos, a produção literária de Poe caracteriza-se por uma imaginação romântica, tortuosa, com raízes inglesas góticas. Ele teria representado o clima do comportamento estético, no qual se fundiram a inteligência excepcionalmente lúcida e a sensibilidade mórbida, também dita satânica e sádica.

O conto referido, o da carta roubada, se passa em Paris, na casa do amigo Auguste Dupin, no famoso bairro de Saint Germain-de-Prés. Supõe-se que o narrador presente na história seja o próprio Poe, autor da algaravia.

No desenrolar da narrativa, penetra, na pequena biblioteca onde se encontravam Poe e Dupin, o chefe de polícia parisiense, senhor G. Vinha a propósito de uma consulta a Dupin sobre o misterioso desaparecimento de uma carta enviada por alguém (o duque S.?) à destinatária, a rainha. Seria um caso simples, não fora o estranho. "Vou contar-lhes em poucas palavras", diz o senhor G. Em língua diplomática, lhes explicitou o acontecido. O ladrão do envelope já seria conhecido, um tal ministro D., "que se atreve a tudo, às coisas dignas e às não dignas".

A receptora da carta (a rainha, assegura-nos Lacan), sua dona legítima, iniciara sua leitura quando o ministro D. adentrou seus aposentos. Rapidamente, ela coloca a carta numa mesa e, sobre ela, o envelope, com o endereço voltado para cima. Ardiloso, com seu olhar de lince, o ministro D. reconhece a caligrafia e intui o segredo.

Posteriormente, ele troca os envelopes, roubando o legítimo. A dona da carta percebe o jogo matreiro, mas não o denuncia devido à presença de um terceiro no local (seria o rei, diz-nos Lacan).

Solicitado pela vítima, o policial se põe a serviço investigativo.

Na casa de Dupin, um diálogo se estabelece com opiniões e contraopiniões, cabendo ao delegado expor os inúmeros detalhes da busca. Esse período de perquirições, hipóteses, analogias e suposições várias se prolonga. Ler o conto é saboroso.

Dupin vence a argúcia do policial. Sobrepõe as suas certezas a todas as formas de ocultamento perfiladas pela equipe do chefe de polícia, que não tem flexibilidade de princípios em suas investigações.

Em todos os casos de ocultamento, o objeto escondido tem lugar enigmático em suposições presumíveis e presumidas. O objeto escondido sempre estará na área mais próxima do primeiro movimento de ocultações, bem junto do ladrão.

Essa é a visão linear a que podemos chegar, sem pretensões analíticas.

Todavia, é no texto de Lacan que ocorre a enxurrada de interpretações, dando lugar e discurso a cada personagem: o narrador (Poe?), a rainha, o rei, os policiais, Dupin e o misterioso Duque S., pretenso remetente. Intrigas da corte.

Lacan alerta-nos: "Da carta de amor, ou de conspiração, de delação ou instrução, carta de intimidação ou carta de desolação, só podemos reter dela uma coisa, é que a rainha não pôde levá-la a conhecimento de seu marido, seu mestre e senhor, o rei". Afinal, não seria ele, o rei, o destinatário último?

"Assim, o que quer dizer 'a carta roubada' ou não retirada (*lettre en souffrance*) é que uma carta sempre chega a seu destino" (conclusão escrita em 1956).

O que Lacan registra nos *Escritos*, tal como o conto de Poe, deve ser lido com vagar e atenção, pois em ambas as disposições literárias permanecem conceitos como: a repetição simbólica (o que constitui o homem), a compulsão a falar, a compulsão à repetição (o seu automatismo) e, por fim, *a insistência do significante*, todos próximos da análise estrutural.

À página 61 dos *Escritos*, Lacan persiste:

Em sua essência é que a carta/letra tanto pôde surtir seus efeitos internamente, nos autores do conto, inclusive no narrador, quanto do lado de fora: em nós, leitores, sem que ninguém jamais tenha se preocupado com o que ela (o seu conteúdo) queria dizer – destino comum de tudo o que se escreve.

Recomendo aos meus leitores: retirem de Poe e Lacan os conceitos primaciais da nova psicanálise.

Salvador Dalí

O QUE NOS ATRAI à obra pictórica e aos textos literários de Dalí (1904-1988) é a sua capacidade de desconcertar seus críticos e intérpretes, numa criatividade atormentadora e megalomaníaca. Aos 16 anos, o artista já dizia: "Vou ser um gênio e o mundo me admirará".

Era filho de uma família de intelectuais, rodeada por grupos de amigos na qualidade de músicos, poetas, literatos e pintores, embora tenha sido educado com severidade por um pai exigente e, muitas vezes, irascível. No plano ideológico, o clã familiar era constituído por livres-pensadores, anticlericais, socialistas. Revolucionários, todos.

A Barcelona de Gaudí, onde viveu, era um polo internacional de artes, e de suas terras áridas da cercania teria dito: "Um grandioso delírio geológico".

Salvador Dalí fora amigo de Federico Garcia Lorca, André Breton, Luis Buñuel, Picasso, Georges Bataille, Juan Miró, Paul Éluard, Juan Gris e outros expoentes da cultura europeia, cada um a seu tempo, e pelos quais foi influenciado. De alguma forma, em épocas diversas, todos também foram próximos de Lacan.

Muito jovem, o pintor era dado a vestir roupas com figurinos extravagantes, usava cabelos longos, tinha uma expectante insatisfação sexual, acostumava-se a saídas noturnas pelos pontos boêmios da cidade, apresentava-se com humor cáustico e certa rebeldia revolucionária, admirando Trotsky, exaltando a União Soviética, proclamando sempre: "morte à guerra", "pela paz". Foi preso político durante a ditadura de Primo de Rivera (1923-1930). No seio da juventude que frequentava, dançava a música da moda, o *charleston*. Era um bufão.

De sua personalidade exuberante desde criança, o historiador Gaillemin registra à página 14 de seu livro: "Sedutor, colérico, arrogante, caprichoso, malcriado, querido e mimado por três mulheres – a mãe, a avó e sua irmã caçula".

Segundo os estudiosos de sua arte, o "cubismo" a que se dedicava era eclético. Por exemplo, os desenhos da sua irmã Ana Maria (1925) apresentavam detalhes de um "realismo brutal", repletos de incoerências anatômicas. "Não elogio teu imperfeito pincel adolescente", disse Lorca na "Ode a Salvador Dalí", publicado na *Revista de Occidente*. Conhecera Lorca em Madri, onde o poeta passava temporadas na Residencia de Estudiantes (*Resi*, como era conhecida a residência estudantil), e por ele foi chamado de "o mestre do exibicionismo".

Dalí louvava com intensidade e exigência o carisma do querido amigo, uma personalidade de muitas virtudes: pianista, violonista, ator, diretor de teatro, dramaturgo, poliglota, poeta consagrado e ativista político.

Lorca, um herói assassinado pela ditadura franquista.

De sua amizade com ele, diria: "Foi um amor erótico e trágico". Trágico pelo fato de não poder ser compartilhado, diga-se, por resistência dele próprio, que era avesso a qualquer manifestação de sexualidade, fosse hétero ou homo. Seria dado apenas ao amor platônico? Em carta a Lorca, expressou-se: "Não deixes de escrever-me. Você é o único homem interessante que já conheci". Dalí foi tão apaixonado pelo poeta que uma de suas comentadas exposições de pintura denominou-a "período Lorca".

Dalí era um homem muito tímido e visto em Paris como provinciano. Nas rodas sociais, diziam à sorrelfa que era um rapaz ainda virgem. Tinha horror aos órgãos sexuais das mulheres, próprio dos misóginos; todavia, ao conhecer Gala Éluard, com quem viria a se casar, ele com 30 e ela com 40 anos de idade, superou essa ojeriza e se deu bem com as partes femininas, até então execradas. Gala soube conquistá-lo para a espiritualidade tântrica, própria das mulheres conhecedoras da antropologia do amor, o taoísmo.

Conta-nos a sua biografia que lera com sofreguidão as obras mais importantes de Freud – como *Psicopatologia da vida cotidiana* –, considerando essa leitura a descoberta mais importante de sua vida.

Num cronograma provisório, anota-se na história de Dalí:

1920 – A época foi marcada pela inocência e o purismo de suas ideias e realizações, enamorado pelo cubismo.

1927 – Por esse tempo, coube-lhe o encanto por São Sebastião, uma verdadeira obsessão. Na sua composição tornada clássica da figura do santo, colocou a imagem entre os símbolos da ciência e da sexualidade, considerando-o padrão da objetividade criativa.

Para ele, a escultura de São Sebastião flagelado seria o símbolo da arte moderna daqueles tempos, sendo hoje chamado, iconoclasticamente, de padroeiro dos homossexuais.

O martírio do jovem ícone católico tocaria a sua homossexualidade e o seu sadomasoquismo, pois lhe é realçada a impassibilidade e a languidez adolescente diante das flechas transpassadas no seu corpo alvo e puro.

1928 – Inseriu-se no Surrealismo definitivo, o momento de transformar-se em "pintor surrealista", opondo-se ao automatismo de Breton, bem como à alucinação de Georges Bataille. Conheceu e participou da revista *Révolution Surrealiste*.

Vale dizer que o Surrealismo nasceu depois da Primeira Guerra Mundial (1914-1919), seguindo-se ao Dadaísmo, movimento estético-niilista criado por Tristan Tzara, pseudônimo de Samuel Rosenstock (1896-1963), nascido na Romênia.

André Breton foi a liderança ideológica do Surrealismo, propondo o encontro das artes com o "suprarreal" a partir do inconsciente freudiano. Freud não se interessara por essa proposta, evitando aproximar-se dessas ideias, por ele consideradas "estapafúrdias".

Ao contrário de Freud, Lacan chegou-se aos surrealistas, sendo convidado a fazer publicações na revista *Minotaure*, porta-voz do grupo.

1930 – Surge a obra "O grande masturbador", sua imagem mitológica da época, quando Dalí usa o recurso da anamorfose, do furor antropofágico e dos ecos morfológicos.

1931 – Dalí é conquistado por Lacan, que entrara no estudo da paranoia por intermédio de quatro ângulos: a) o da psiquiatria tradicional e o da psicanálise de Freud; b) o do Surrealismo de Dalí; c) o dos filósofos Spinoza, Nietzsche, Husserl e Bergson; d) o do psiquiatra-filósofo Karl Jaspers.

1942 – Dalí anuncia o texto *A vida secreta de Salvador Dalí* e a sua conversão ao catolicismo.

1950 – São avaliadas as grandes produções místicas, donde sobressai a belíssima figura do "Cristo de São João da Cruz".

Lacan interessou-se pelo método de criação de Salvador Dalí – o método paranoico-crítico – e sua curiosidade já se expressara em sua tese de doutorado – *Da psicose paranoica em suas relações com a personalidade* – dada a lume em 1932.

Entre Lacan e Dalí ocorreu, então, um rodízio de mão dupla, no qual o psicanalista interessava-se pelo método de estudo do pintor e este afirmava ter se encantado com a tese lacaniana, que serviria como fundamento teórico-científico para firmar o seu viés da realidade pictórica que ele próprio engendrara e exercitara.

Salvador Dalí, mesmo não pertencendo à área "psi" do conhecimento, porém militante da "revolução surrealista", escreveu em 1930 o texto sobre paranoia anteriormente citado, no qual insistia sobre uma nova apreensão da língua no domínio das psicoses. O pintor correlacionava a paranoia à alucinação, entendida como a interpretação da realidade na forma delirante.

Pode-se entender a vivência paranoica, e a concepção do mundo que ela constrói, como uma sintaxe original capaz de contribuir para os elos de compreensão apropriada com a experiência da comunicação humana, *senso latu*.

Toda vivência paranoica – imperiosamente as formas de criação artística –permitiria um espaço de comunicabilidade entre humanos, que se tem mostrado em todas as épocas civilizatórias, desenvolvendo o conflito entre percepção objetiva *versus* potência criativa.

Em 1933, Lacan mereceu de Dalí um artigo de saudação e louvor na revista *Minotaure*. Dizia: "É à tese de Lacan que devemos o fato de, pela primeira vez, termos uma ideia homogênea e total do fenômeno paranoico, longe das misérias mecanicistas nas quais chafurda a psiquiatria atual".

Pode-se afirmar, com Roudinesco, que o encontro de Lacan com Dalí significou ter o conhecimento da "antropologia da loucura".

Lição sobre lituraterra

À PÁGINA 105 DO *Seminário 18* (2007a), o mestre afirma que inventou a palavra "lituraterra" para um texto (não localizado) a ser publicado em *Literatura e psicanálise*.

Convoco o leitor a ler e entender a melhor intenção do autor para expor um jogo de palavras com que às vezes se cria o chiste, fruto da chamada aliteração que chega aos lábios e ao ouvido.

Em seus estudos, ao voltar de uma viagem ao Japão e passar pela Sibéria – curioso em conhecer a potência bélica da União Soviética –, Lacan conclui que a literatura esteja virando *lituraterra*.

O Japão impressionou-o pelos recortes do litoral de ravina. As percepções semânticas foram se misturando: literatura, litura (litoral), letra (carta), o termo literal (ao pé da letra). Impressionou-o, também o formato do abecedário japonês, cheio de "nuvens" ao seu redor.

Perguntou-se: "Será que a letra não é o literal a ser fundado no litoral?" E: "O saber e o gozo, entre eles não estaria o litoral?"

Sem dúvida, uma enxurrada de pensamentos, aliterações – trama onírica – vai formando a construção da ideia da formação do inconsciente, bem diferente do que Freud enumerava com fatos de linguagem.

O gozo da linguagem é para Lacan o seu gozo. "Ah! Você está vendo... está tudo aí, meu caro: para conseguir que eles saiam é preciso que você entre" (Lacan, 1992b).

É o ato da palavra o mais importante.

O cinema e Lacan

Há algum tempo, encontrei o livro *No cinema com Lacan* (2015a), organizado pela médica argentina Stella Jimenez, e joguei-me com interesse em sua leitura. Excelente! Jimenez abre o seu prefácio explicando a intenção da obra. Diz ela: "Minha proposta, neste livro, é falar dos impasses, paradoxos, contradições e reversões do labiríntico universo humano, muitas vezes ilustradas e reveladas nos filmes".

Eu já assistira a alguns filmes ali citados, porém sem a profundidade de seus ensinamentos com base nas configurações, citações e identificações com a obra magnífica de Lacan. No livro, os jovens iniciantes se encantarão com a magia da sétima arte e a confirmação dos fundamentos teóricos do mestre Lacan. Só tenho uma palavra: Leiam-no!

Com a função de orientar, registro alguns filmes estudados:

1 *A pele que habito* – Pedro Almodóvar
2 *A primeira coisa bela* – Paolo Virzi
3 *Vincere* – Marco Bellochio
4 *A história de Adéle H.* – François Truffout
5 *Drácula de Bram Stoker* – Francis Ford Coppola
6 *A viagem do Capitão Tornado* – Ettore Scola
7 *Habemus papam* – Nanni Moretti

Como fundamentação teórica, Stella Jimenez nos brinda com o capítulo "Drama da sexuação humana" (2015b).

E o que mais se discute nesse livro? Anoto: identidade sexual; o que é ser mulher; loucuras do amor; a onipotência do Outro; o gozo feminino; o que seria o *falasser*; como se interpreta o inconsciente do Outro?; parábola de um percurso psicanalítico; encontrar a singularidade depois da falência paterna; o objeto escópico; os avatares do "gozo do Outro"; "o artista sempre precede o psicanalista, por isso ele não deve bancar o psicólogo quando o artista lhe desbrava o caminho"; mudança de sexo (a questão transgênera), fantasia masoquista como núcleo da constituição humana; o narcisismo imaginário; a vacilação para definir o corpo; a homossexualidade.

À página 23 do livro há um comentário: "A conclusão de Lacan é que nada está escrito no psiquismo humano sobre a "identidade sexual". Ainda: o *Das Ding* localizado com o objeto perdido, as loucas paixões etc.

Na história de Adéle, pode-se encontrar a "ruptura do nó borromeano". No texto do que daria o Drácula de Bram Stoker, são temas excepcionais do psicanalista o objeto da angústia e o gozo do outro. No filme de Moretti coube a epígrafe de Lacan: "A verdade de que se trata [...] aquela que se enuncia como oráculo, quando ela fala, quem fala? Esse semblante é o significante em si".

Alice no País das Maravilhas e Através do espelho

Vou iniciar o presente capítulo transcrevendo um dos fragmentos de minha clínica, aposto no item 1 – "Anotações sobre a sexualidade humana" –, do meu livro *Rodapés psicodramáticos* (2012).

Homem de 65 anos, casado há 40 anos com mulher da mesma idade, sem filhos. De formação religiosa católica, procura-me com a história de um comportamento assim relatado: já há algum tempo criara um jogo erótico em que num dos bolsos de sua calça eram colocadas várias moedas, de vários tamanhos. Então ele propunha a um grupo de meninas da relação familiar, de 8 a 10 anos, mais ou menos, que procurassem no bolso a menor moeda: em conseguindo, a criança vitoriosa seria premiada com a moeda de maior valor.

Se as crianças percebiam ou não a tramoia, ou cumpliciavam-se com ela, o paciente dizia não saber. Sabia, sim, que tinha ereção peniana e ia para casa se masturbar.

Todo o arsenal de penitências, confissões e orações não o afastavam da "brincadeira pecaminosa". Porém, a cada dia que passava, maior era sua angústia, caminhando para uma depressão severa.

Propus a ele conversarmos sobre o livro *Alice no País das Maravilhas e Através do espelho*, ampliando o diálogo para o conhecimento da vida de seu autor, Lewis Carroll, não sem antes aconselhá-lo a se afastar daquelas menininhas, no que me atendeu prontamente.

Nota: "Tudo o que fazemos em nosso trabalho de analistas exige-nos colocar do lado da vida e da esperança. Saber como e quando dar uma orientação firme, um conselho eficaz, faz parte da arte das psicoterapias" (Frances Justin).

Como todos podem saber, Lewis Carroll era professor de matemática, dedicando-se aos estudos da lógica. De outro lado, era escritor de fantasias, poeta ingênuo e sonhador. Sua inclinação por meninas impúberes se fazia com sentimentos culposos e cheio de escrúpulos.

De seus contos surreais dizia ele ser obra para Deus.

Dentro do tempo terapêutico, nossos papos foram longos e proveitosos. Em nenhum momento fiz analogias óbvias. Depois de mais ou menos um ano, o paciente vivia de forma serena, afastara-se de seu infantilismo sexual e se propunha a começar a escrever contos infantis.

Hoje, aumentei o meu compromisso com os textos de Carroll, por meio de uma série de produções da revista *Ornicar?* organizada pelo psicanalista Jacques-Alain Miller (Rio de Janeiro: Zahar, 2004).

A primeira seleção é de Jacques Lacan – *Homenagem a Lewis Carroll* – donde pude me servir da afirmação: "O que enriquece a obra de Lewis Carroll, particularmente *Alice no País das Maravilhas e Através do espelho*, é a percepção lacaniana segundo a qual seu conteúdo é 'a forma pura' do esquema RSI".

Na confecção de sua crítica a Carroll, Lacan marcaria, no seu "Avesso da psicanálise", que o sujeito do inconsciente decorreria do advento do discurso da ciência. Tal afirmação pretendeu garantir a duplicidade de Lewis Carroll: o saber mítico *versus* o saber matemático.

André Maurois definiria os escritos de Carroll como uma arte de dizer coisas profundas mascaradas com lendas inverossímeis.

Jean-Jacques Lecercle, em seu livro *Philosophy of nonsense* [Filosofia do absurdo] (2012), adota a inspiração lacaniana – "a língua fala" – para defender a tese de que o discurso é independente do desejo de dizer do locutor.

E são inúmeros estudiosos de Lewis Carroll seguidores desse caminho interpretativo: Gattégno, Blake, Brocas, Deleuze, Artaud, Bay, Mabille.

O saber inconsciente posto nos textos desse autor estaria dentro do Real. Os textos "nonsênsicos" ajudam a Lacan definir o Real como o impossível.

Faço um hiato para citar Lamartine no seu ensaio sobre *Os Miseráveis*, de Victor Hugo: "A mais homicida e a mais terrível das paixões que se pode infundir às massas é a paixão pelo impossível".

Esses conceitos que vão surgindo no decorrer da história psicanalítica podem referir-se ao "Lacan da maturidade". Por fim, Real, Simbólico e Imaginário compõem a estrutura triádica borromeana, com o acréscimo da proposta de Žižek: Real-real, Real-simbólico, Real-imaginário.

"A psicanálise é um estudo para a vida toda" registrou com sabedoria Carlos Augusto Nicéas. Estudemo-la.

Lol V. Stein

O título desta sessão expressa o pseudônimo de uma personagem – Lola Valérie Stein –, a qual Marguerite Duras timbrou em seu livro *Le ravissement de Lol V. Stein* [O êxtase de Lol V. Stein].

Na obra *Outros escritos* (2003b), temos a oportunidade de conhecer a "Homenagem a Marguerite Duras pelo arrebatamento de Lol V. Stein", texto produzido pelo autor no ano de 1965 para os *Cahiers Renaud-Barrault*.

Já ao início do escrito, ele propõe os significados dos nomes: arrebatamento = palavra constituída como enigma; Lol = asas de papel; V. = tesoura; Stein = pedra. Todavia, o importante é atendermos o conselho primacial de Lacan: "Leiam (o livro), é o melhor".

A homenagem de Lacan a Marguerite Duras na verdade é o seu entendimento sobre uma história de amor na qual um dos participantes (Jacques Hold) é ora a voz do narrador, ora a sua própria angústia. E, no centro dos olhares argutos de uma plateia ávida, Lol entregava-se à sua paixão dos 19 anos.

Diz Lacan nos *Escritos*:

"Foi precisamente isso que reconheci no êxtase (ou arrebatamento) de Lol, onde Marguerite Duras revela saber sem mim aquilo o que eu ensino". "Que a prática da letra converge com o uso do inconsciente é tudo de que darei testemunho ao lhe prestar essa homenagem".

O que aconteceu com Lol, diz-nos o mestre, revela o que acontece com o amor. Então, descobrimos que Lol enlouqueceu, o lugar do infortúnio.

Um analista profissional pode publicar, ao modo de um romance, o que se chama na medicina de "estudo de caso"? É o que de certa forma pergunta Érik Porge em seu livro *O arrebatamento de Lacan* (2019), cujo subtítulo é *Marguerite Duras ao pé da letra*.

Nesse livro de verdadeiros apontamentos, o autor relata uma entrevista de Marguerite aos *Cahiers du Cinéma* (1965), narrando que foi convidada por Lacan para conversar sobre o livro, referindo-se o mestre à história de Lol como "um delírio clinicamente perfeito". Era próprio de Lacan interessar-se por casos de loucura, sobretudo a feminina (no Capítulo 2, referi-me ao Caso Aimée).

Quem arrebata a quem? A arte literária criativa de Duras, que nos obriga a ouvi-la arrebatadamente? É ela também que arrebata Lacan?

Eis a ambiguidade da linguagem.

Leiam os textos de Duras, Lacan, Porge. Será o arrebatamento ternário.

10. Fragmentos teóricos da formação de Lacan

Em princípio, temos de nos orgulhar dos fragmentos de uma história rica, de intelectualidade soberba, que marcou o estilo de Jacques-Marie Émile Lacan.

Homem culto, aos 17 anos já lia Espinoza e por essa época comparecia às leituras de Ulisses, feitas pelo próprio Joyce, na livraria parisiense de Monier.

Colaborou na revista *Minotaure*, na qual Salvador Dalí pontificava. Durante seu curso de Medicina, apaixonou-se pelas ideias de Nietzsche e de Schopenhauer, e sua sólida formação médico-psiquiátrica se fez com Clérambault, a quem nunca renegou. Acompanhou os seminários de Kojève e assistiu às aulas de Koyré, ambos filósofos russos que o introduziram nos conhecimentos de Hegel e Heidegger.

O número de amigos leais é invejável: Bataille, Sartre, Merleau-Ponty, Camus, Lévi-Strauss, Roman Jakobson, Louis Althusser, Michel Foucault, André Breton, Ricoeur, Hyppolite e muitos outros.

Sendo um mito da moderna psicanálise, pode-se garimpar em sua literatura um time de psicanalistas e filósofos, todos seus admiradores, principalmente pela corajosa intervenção, inovadora e revolucionária, na obra de Freud.

Lacan não era filósofo – foi mesmo declarado antifilósofo, o que ele próprio se denominava. Porém, pela forte presença de conceitos filosóficos em sua obra, até hoje é estudado em centros universitários de Filosofia, sem exigência de nenhuma formação psiquiátrica ou psicanalítica dos interessados nesse tipo de especulação.

De suas experiências eruditas, devemos registrar o estudo de Platão, Aristóteles, Kant, Sade, Wittgenstein, Karl Jaspers, Descartes, Bergson, Comte, Lamarck, Darwin, Bertrand Russel, Politzer, Cassirer, Durkheim, Deleuze, Marcel Mauss, Saussure e outros.

Na área psiquiátrica, estudou Melanie Klein, Henri Ey, Bleuler, Pierre Janet, Henry Wallon, Kraepelin, Minkowski, Kretschmer e outros.

Para ele, Platão e Freud eram os mestres a ser respeitados; porém, na condição de psicanalista identificava-se seriamente com Sócrates, pois na metodologia socrática estaria a posição do discurso analítico.

Slavoj Žižek, esloveno de ideologia comunista, considerado pelos neoconservadores um filósofo perigoso, no seu tempo de estudante universitário conheceu a doutrina de Jacques Lacan e entusiasmou-se por ela.

Referia-se à obra lacaniana como "suspeita", do ponto de vista socialista, porque a psicanálise estaria mergulhada na "mente individual", distante das ligações sociais. No entanto, o lado provocativo de Lacan e a sua capacidade de fazer repercutir suas ideias no discurso social levaram-no a aproximar o marxismo da psicanálise lacaniana.

Žižek faz sua abordagem filosófica com base na retórica do pensamento, interligando a comunicação humana por meio da reconhecida "ordem simbólica".

Outros nomes ilustres têm de ser registrados como intelectuais valorosos e interessados em discutir a doutrina de Lacan: Serge Leclaire, Safouan, Piera Aulagnier, Lucien Febvre, Léon Bloy, Jean Wahl, os Mannoni e até Picasso, que fora seu cliente.

Em 1930, Heidegger era lido em continuação à obra de Husserl com aplausos dos filósofos franceses, entre eles Lacan. Independentemente das questões político-filosóficas, ele era fascinado pela filosofia fenomenológico-existencial de Heidegger e utilizou sua tese da "busca da verdade" em seus *Escritos*.

Dividido entre a tradição filosófica alemã e sua antiga admiração pela democracia inglesa, os seus leitores identificaram nos *Escritos*, principalmente no "Discurso de Roma", o que na época foi intitulado o jogo de "sombra e luz". Lacan passou por Heidegger como toda a sua geração havia passado: hipnoticamente. Mas não permaneceu seu acólito.

Em 1953, Lacan começou a construir seu "sistema de pensamento", com a intenção firme de conhecer o compromisso do sujeito com a verdade. Pretendeu fazer o retorno a Freud para enfrentar os desvios da psicanálise norte-americana – que, por sua vez, propunha a adaptação do paciente em seu meio e ao reforço do Ego.

O ano de 1953 é uma data excepcional, pois Lacan apresentou, no Instituto de Psicologia da Universidade de Roma, o relatório: "Função e campo da fala e da linguagem em psicanálise". O texto ficou conhecido como "Discurso de Roma" (*Escritos*, 1998b, p. 238). A isso Lacan denominou "nossa literatura" ou "nossa atividade científica", destacando três aspectos fundamentais da psicanálise:

1 A função do imaginário (fantasia) e do sintoma (simbólico, dimensões clínicas).

2   A noção das relações libidinosas de objeto, afirmando que a psicanálise desemboca numa fenomenologia existencial (libido = energia real).
3   A importância da contratransferência e sua correlação com a formação do psicanalista. O analista tratará dos fenômenos contratransferenciais de seu trabalho em sua análise ou em situações de supervisão, enfatizou.

Lacan ainda acrescentou: "Quer se pretenda como agente de curas, de formação, ou de pesquisa, a psicanálise dispõe de apenas um meio: a fala do paciente".

Freud se inscrevera na linha do pensamento filosófico, próximo de Schopenhauer e de Nietzsche, porém distante do "idealismo filosófico" e a favor do ideal científico. Lacan, por sua vez, rompeu com o cientificismo para aproximar-se do desejo, na concepção hegeliana, e da fala, no sentido de Platão.

As teorias de Lacan não nos obrigam a ser psicanalistas no sentido ortodoxo de seus significados. Sua abordagem exige uma postura atenta à singularidade de cada paciente: neuróticos, psicóticos, perversos e os psicossomáticos inscritos por Pierre Marty.

O que se espera hoje dos profissionais "psi" são os cuidados clínicos, psicoterápicos e, sobretudo, os sociais, que elevem a dignidade do paciente. Dignidade: palavra e atitude que superam o modo bárbaro e cruel das antigas intervenções, bem como retiram do coração dos profissionais o medo e o preconceito.

O "Discurso de Roma" foi o divisor de águas das psicanálises: ali foi firmado o princípio de que a teoria freudiana só seria compreendida se houvesse o reconhecimento da linguagem como fator central. Assim: a) a linguagem é a experiência nodal da psicanálise; b) ela é o que constitui o humano; c) sua estrutura é o inconsciente lacaniano, no qual mora o sujeito.

Alguns termos lacanianos devem ser pesquisados para compor com coerência a sua leitura. Por exemplo: *corte* é o movimento cuja finalidade é desamarrar os nós dos significantes, abrindo espaço para o surgimento do real. *Real* é o impossível de suportar, enquanto a *realidade* é o que busca acomodar.

Após a Segunda Guerra Mundial, finalizada em 1945, Lacan passou a se interessar pela dinâmica social dos grupos. Adotou como objeto de análise o exército inglês. Visitou Hartfield, em Londres, onde se internavam ex-prisioneiros de guerra, combatentes sobreviventes com diversos tipos de trauma e homens incapazes de retornar à frente de batalha. Conhecia os trabalhos de Bion com soldados internados no Hospital Psiquiátrico de Northfield e, no campo grupal, reconhecia seus conceitos como melhores do que os de Freud. Falava de J. L. Moreno com admiração.

No Congresso de Zurique (1949), levou revisada a sua histórica tese de Marienbad (1936) e posicionou-se contra o neofreudismo adaptativo dos norte-americanos. Além disso, contradisse as ideias de Anna Freud, que priorizava o Eu diante do Isso e combateu a denominada *ego psychology*.

Dizem em surdina que Anna Freud não tinha interesse pela "doutrina paranoica" de Lacan nem por ele próprio, o que não o impedia de elogiá-la pela defesa que fazia dos "mecanismos de defesa". Porém, na página 25 do *Seminário 1 – Os escritos técnicos de Freud* (1986), ele afirmou que os mecanismos de defesa seriam apenas um "catálogo" por demais heterogêneo.

Lacan se interessou pelas ideias de M. Klein, integrando em seus escritos inúmeras teses kleinianas. No Congresso de Bonneval (1947/48), organizado por Henri Ey, ele foi intermediário convincente para que Klein dele participasse. Mostrou-se um colega generoso.

Santo Agostinho

Devoto da Igreja Católica, essa personalidade santificada (nascida em 354 e morta em 430) foi considerada um psicanalista *avant la lettre*, pela sensibilidade com que se habilitava em suas experiências subjetivas.

É clássica a observação que fez do comportamento irritadiço de uma criança (*infans* = antes da fala) diante de seu irmão de leite. Agostinho registrou: "Vi com meus olhos e reconheci uma criancinha tomada pelo ciúme. Ainda não falava e já contemplava, pálida e com expressão amarga, o seu irmãozinho".

Agostinho, inconstante em suas emoções sensuais, transformou-se quando caiu-lhe às mãos um texto de Paulo de Tarso, convocando a negar os prazeres impuros. Uma luz inundou-lhe o coração, dissipando-lhe as incertezas dos desejos pecaminosos definidos pela religião, tudo posto nas epístolas de São Paulo.

Desde então, foi-se encaminhando para um padrão de religiosidade que o transformou em Bispo de Hipona e pensador universalmente conhecido.

Ao morrer, seus pensamentos e sentimentos estavam já sublimados, despedindo-se da "Cidade dos Homens" e entregando-se à "Cidade de Deus".

O que fica claro é que Agostinho apaixonou-se por filosofia como fora uma entrada gloriosa à teologia, com fervoroso conceito de beatitude.

Esse resgate feito por Lacan à filosofia patrística incluiu-a nos debates de Wallon, Hyppolite, Freud, Lewis Carroll, Klein e

Anzieu, presentes no *Seminário 1* (1986), no qual os temas "resistências", "defesas", "transferência" se exponenciam.

Finalizando: "O núcleo patógeno tem de ser procurado, pois a resistência emana daquilo que está para se revelar."

São Tomás de Aquino

TOMÁS NASCEU NA ITÁLIA, no Castelo de Roccasecca (propriedade de seu clã), situado no condado de Aquino (Sicília), em 1225 e faleceu em 1274, no mosteiro de Fossanova, vítima de um acidente. Foi monge dominicano em plena Idade Média, defendendo as teses da união entre a fé e a razão.

Autor da universalmente celebrada *Suma teológica*, título geral dado aos textos (nove volumes rotundos) inspirados nas questões metafísicas de Aristóteles, sua obra foi registrada como a *opera princeps* da escolástica e da dogmática católica.

De personalidade silenciosa, porém rebelde, contrapôs-se aos conselhos familiares que lhe desejavam a vida laica, decidindo de moto próprio tornar-se frade dominicano, sujeito aos votos de obediência, castidade e pobreza.

Em que pese a sua suposta simplicidade pessoal, foi considerado aquele que "batizou" Aristóteles, propagando-se metaforicamente que ele visitara a alma do filósofo grego.

Em seus primeiros estudos universitários, Tomás dedicou-se ao que se chamava *trívio* (gramática, dialética, lógica) e ao *quadrívio* (aritmética, geometria, astronomia e música).

Pela trajetória monástica da vida, ficou conhecido por *Doctor Angelicus*, em homenagem a suas virtudes morais, à sublimidade do seu pensamento teológico e à plenitude de uma existência casta e pura, assumindo-se com denodo como celibatário.

Foi elevado a patrono das escolas católicas, autor de hinos religiosos, professor modelo para os sacerdotes e, pela excelente predicação a que se dedicara, seria o responsável pelo "ofício dos sábios", tradução de sua sabedoria.

Para os interessados em conhecer mais sobre São Tomás, recomendo a revista de estudos tomistas, em forma eletrônica, *Aquinate*, termo que também se refere ao conjunto de seus trabalhos.

A pedido do Papa Urbano IV, escreveu um opúsculo "contra os erros dos gregos" para contestar a fé trinitária de clérigos da Grécia, que fora alvo de várias falsificações.

Em 1951, quando cursei o primeiro ano do ensino médio em São Paulo, no Colégio Nossa Senhora de Salette, estimulado pelo meu saudoso professor de português, tive a oportunidade de ler e comentar o livro *As grandes amizades*, de Raïssa Maritain (1958), esposa do consagrado tomista Jacques Maritain, merecendo nota plena pelo meu esforço (fica o registro de querida lembrança).

Em seu livro *O triunfo da religião* (2005b), Lacan afirmou: "A verdadeira religião é a religião cristã romana" (católica). Nesse mesmo livro também postulou: "A psicanálise não triunfará sobre a religião".

Para ele, ir ao psicanalista de forma alguma é ir ao confessionário. "As pessoas estão ali no analista para falar, dizer qualquer coisa". Trata-se, pois, de um método singular, não imitando confissão clerical. É quase uma arte, o analista como sintoma e não como sacerdote, propondo-se a fazer um tratamento do homem doente sem prometer-lhe a cura.

No *Seminário 11 – Os quatro conceitos fundamentais da psicanálise* (1985c), à página 14, ele diz: "A outra referência, a religiosa, já a evoquei há pouco afirmando bem que é da religião no sentido atual do termo que eu falo. Não de uma religião ressecada, metodologizada, repelida para o longínquo de um pensamento primitivo. Porém a religião tal como a vemos, se exercer, nos dias atuais, viva, ainda bem viva".

E reafirma em outras predicações: "A verdadeira fórmula do ateísmo não é a de que Deus está morto (mito de Nietzsche)... a verdadeira fórmula é que Deus é o inconsciente".

Já no início do *Seminário 23 – O sinthoma* (2007b), Lacan recorre ao nome de São Tomás de Aquino para fazer um jogo de palavras (som que se ouve e grafia que se vê): "sintomasdiaquino". E, à página 15, pergunta: "Vocês sabiam que Joyce babava (sic) por esse sant'homem?" (São Tomás, Santo homem, Sinthoma).

Aquino estruturou a filosofia da *Claritas*: o que Deus pensou por nós. Visto pela psicologia humana a *Claritas* (claridade) refere-se ao bem, ao belo, à integridade e à perfeição, num verdadeiro sentido de êxtase, particularmente o intelectual. Nesses termos, estamos falando em São Tomás da Teoria do Conhecimento, em seus conceitos de verdade, a iluminação do ser.

Por essa via, Lacan coloca o *Sinthoma* nas preocupações do "pecado original", justificando no vocábulo a partícula SIN, pecado em inglês. Na interface *sinthoma/claritas*, a criatura estará levada a conter-se no seu não ser, complementando o vir a ser da fenomenologia clínica.

E como era da preocupação lacaniana do ser para a morte (Heidegger) o estudo, ainda que perfunctório, de São Tomás coloca-nos frente à questão da morte, em sua mais pura acessibilidade existencial. Ele abordou a questão da morte, da alma e da imortalidade em diferentes escritos, com a sua perspectiva sobre a morte em legítima defesa e a pena de morte, o valor absoluto da vida, pelo que se justificou no pensamento jurídico a abolição da pena de morte em algum momento civilizatório.

Necessariamente, Lacan compulsou os escritos tomasianos, pois o tema da criminologia foi uma de suas preocupações (ver em *Escritos*, à página 127, texto sobre psicanálise e criminologia).

A atração Lacan pelo Extremo Oriente – O tao

JACQUES LACAN TEVE O seu momento de apaixonar-se pela língua, pela filosofia e pelos costumes chineses. Na época da ocupação da França pelos nazistas, ele se matriculou na Escola de Línguas Orientais. Coincidentemente, foi envolvido por inúmeros alunos "maoístas" do grupo *Cahiers pour l'Analyse*. Por esse tempo, convidou o sinólogo François Cheng para orientá-lo, sendo inserido no estudo dos textos de Lao-Tsé (Lao Zi).

Lao-Tsé nasceu na China (império Chu) em 601 a.C. Considerado filósofo e escritor da Velha China, o mais importante de seus livros foi o *Tao Te Ching – O livro do caminho e da virtude*, que influenciou os libertários da esquerda política. Foi o fundador do movimento filosófico cultural chamado taoísmo (ou tao).

Filosofia ou religião? É a pergunta que se faz na leitura do texto. O símbolo do tao é

Nele se acoplam *yin* e *yang*, significando equilíbrio. *Yang* é a luz, a luminosidade forte, intensa, representada pelo lado branco.

Yin é a luz fraca, representada em preto. São duas energias opostas, porém em equilíbrio; são o positivo e o negativo.

A complexidade do tao contribuiu para Lacan fazer suas especulações sobre o Real.

Em entrevista a Judith Miller, em 1991, o professor de chinês François Cheng comentaria sobre Lacan (*apud* Roudinesco, 1993): "Creio que a partir de certo período de sua vida o douto Lacan não era mais do que pensamento. Na época em que trabalhava com ele, não deixava de pensar sempre em algum grave problema teórico".

Como curiosidade, eis um trecho de Lao-Tsé esmiuçado por essa dupla de estudiosos: "O TAO de origem engendra o UM, o UM engendra o DOIS, o DOIS engendra o TRÊS, o TRÊS produz dez mil seres, os dez mil seres se encostam no *yin* e abraçam o *yang* e a HARMONIA nasce do sopro do vazio, vazio supremo, o inefável, o sopro genesíaco?"

Lacan definiu o tao como o primeiro *matema* da humanidade. Ele teria inventado a palavra *matema* pela conjunção de dois termos: do grego *mathêma*, significando conhecimento, e o mitema de C. L. Strauss, para significar o estudo dos mitos culturais. Daí surgiu a "álgebra lacaniana".

Melanie Klein

Pode-se dizer, resumidamente, que o estudo de crianças pequenas por Melanie Klein (1882-1960) a levou a intuir que a psiquê do infante contivesse uma quantidade enorme de conflitos de ordem psíquico-emocional, sendo a angústia a questão central a ser definida.

Em torno dessa afirmação, pode-se conhecer a concepção de Klein como um processo dinâmico de acontecimentos da mente, do coração e de emoções, tais como: amor, ódio, projeção, introjeção, cisão, fantasia e realidade, um mundo infantil confuso e turbulento.

Se Freud descobriu a criança recalcada no adulto, M. Klein optou por afirmar que o importante era detectar o bebê recalcado na própria criança.

Conforme seus biógrafos, ela não teve a fluência e clareza de um Freud, aparecendo no cenário psicanalítico como uma figura polêmica. Entretanto, suas contribuições foram suficientemente ricas e a profundidade de suas interpretações teria sido o meio possível de acesso às angústias e suas defesas, dirimindo-as em proveito dos pequenos analisandos.

Suas proposições estariam na origem do esquema L de Lacan, que detalhei à página 100 de meu livro *Elogio a Jacques Lacan* (2017). Também encaminho o leitor para o excelente livro *O mundo e a obra de Melanie Klein* (1992), organizado por Phyllis Grosskurth.

Melanie iniciou seus estudos psicanalíticos depois de conhecer o conceito freudiano de inconsciente, indo além dele em suas especulações. Ela fora analisada por Ferenczi, que a incentivou às investigações sobre análise com crianças. Indo de Budapeste para Londres, tornou-se a primeira psicanalista da Europa continental a filiar-se à Sociedade Britânica de Psicanálise.

Jacques Lacan teve excelente contato com M. Klein e ambos puderam discutir a agenda do I Congresso Internacional de Psiquiatria, realizado em Paris no ano de 1950.

Em uma carta para o colega Clifford Scott, ela ressaltara o interesse de Lacan em atrair profissionais da psiquiatria para o campo da psicanálise, acreditando na capacidade de liderança e amizade de que ela seria capaz. Segundo Grosskurth, M. Klein considerava Lacan o membro mais progressista da Sociedade Psicanalítica de Paris.

No XVI Congresso de Psicanálise de Zurique, em 1949, com a presença influente de M. Klein, Lacan apresentou seu estudo sobre o estádio especular como formador do Eu conforme revelado pela experiência analítica.

Em 1948, no Congresso de Psicanálise de língua francesa, realizado em Bruxelas, ele já estabelecera ligações de seus artigos sobre "imagos do corpo fragmentado" com os "objetos internos" de Klein, sempre referindo-se a ela em termos elogiosos.

À página 620 dos *Escritos*, inscreve: "A dialética dos objetos fantasísticos promovida na prática por Melanie Klein tende a se traduzir, na teoria, em termos de identificação (do sujeito com o analista)", referindo-se, ainda, "à fria objetividade" dos ingleses capazes de distinguir o calor e os engodos da relação inter-humana.

Jacob Levy Moreno – O criador do psicodrama

EM 1947, LACAN PUBLICOU, na revista *L'Evolution Psychiatrique*, o texto "A psiquiatria inglesa e a Guerra" para contar a sua passagem por Londres logo no final da Segunda Guerra Mundial (1945), texto republicado à página 106 de *Outros escritos*.

Referiu-se, então, ao sistema público de convocação de cidadãos para a formação do exército militar de defesa da Ilha. Falou-nos dos tratamentos grupais e do modo como os psicanalistas britânicos organizavam esse tipo de cuidado. Marcou a presença de Alfred Bion na tarefa de criar "um bom espírito de grupo" (*esprit de corps*) e, por fim tratou dos princípios do psicodrama de J. L. Moreno (1889-1974) que permitiam ab-reagir num papel que os militares eram levados a assumir num cenário entregue à sua improvisação teatral.

À página 105 dos *Escritos*, anota: "Quer se dirija aos adultos ou às crianças, pode-se agrupar sob a denominação do tratamento psicodramático, que busca sua eficácia na ab-reação que ele tenta esgotar no plano da dramatização e onde, mais uma vez, a análise clássica fornece as noções eficazmente diretivas".

Em outros pontos de seus escritos, Lacan sempre se referia a J. L. Moreno com simpatia.

Louis Althusser

EM SEU LIVRO *Freud e Lacan, Marx e Freud* (1985), Althusser (1918-1990) registra o retorno a Freud como um retorno a sua maturidade. Assim,

> retorno a Freud quer dizer: retorno à teoria bem estabelecida, bem fixada, bem assente no próprio Freud, à teoria madura, refletida, consolidada, verificada, à teoria suficientemente avançada e instalada na vida, para haver construído aí a sua morada, produzido o seu método e engendrado a sua prática.

William Shakespeare

NÃO SE PODE ESQUECER a influência de Shakespeare (1564-1616) na formação cultural de Lacan. O bardo londrino, chamado por Harold Bloom de "o criador do humano", integrou os elementos neuróticos e psicóticos da personalidade humana, levando-os ao teatro. Nele, a força das paixões promove rupturas e dilaceramentos da convivência que bordeja a "loucura" do universo pulsional.

Rudolph Loewenstein — O analista de Lacan

Segundo Éric Laurent (1995), o médico polonês Loewenstein (1898-1976) chegara a Paris em 1925 com "a intenção de formar analistas para a modernidade no estilo do Instituto de Berlim". Fora analisado pelo alemão Hanns Sachs que, entre notórios discípulos, registram-se Franz Alexander, Michel Balint, Erich Fromm, Karen Horney e o próprio Rudolph Loewenstein.

Pertenceu à Sociedade Psicanalítica de Paris – que se estabelecera em 1926 com a participação de Marie Bonaparte, Édouard Pichon e René Laforgue –, tendo feito a sua mudança para a França a pedido de Sigmund Freud.

Foi analista de Lacan entre 1933 e 1939, período considerado de maior média daqueles anos, entre os vários escores.

Em 1965, transferiu-se para Nova York, onde ficou conhecido como participante do famoso trio da chamada "psicologia do Ego", juntamente com Ernst Kris e Heinz Hartmann, chegando a ser vice-presidente da seção americana da Associação Psicanalítica Internacional (APA).

11. Temas variados

O homem contemporâneo

Esse é o homem que participa da nova nosografia lacaniana, com estranha equivalência ao estado pré-psicótico, propriedade universal do conhecimento humano.

A psicose sem loucura aparente está inserida na estrutura do ser humano desde sempre. O estudo do caso Joyce ajuda-nos entender melhor a expressão delirante possível de ser representada no contorno do grupo social ou, de forma mais específica, no chamado *Umwelt* (o universo do sujeito).

A felicidade e a liberdade

Ninguém consegue percorrer o caminho que transporte à pressuposta felicidade se tentar fazê-lo sozinho. É de Lacan: "O ser do homem não apenas não pode ser compreendido sem a loucura, como não seria o ser do homem se não trouxesse em si a loucura como limite de sua liberdade".

O idealismo

A LUTA PELAS CAUSAS idealistas faria uma aproximação com a paranoia, na esteira da "salvação do mundo." Os aspectos reformistas do homem comum se misturam com sentimentos paranoicos, porém despercebidos.

Em geral, o homem comum acredita ter uma missão na vida (política ou religiosa), ideia originada em seu pensamento, mas não reconhecida pela sociedade que o envolve.

A ordem simbólica

O SIMBÓLICO (DE SÍMBOLO) é o que rege a organização da vida social. Lacan preferiu chamar de "ordem simbólica" o fato de a sociedade, a cultura e, particularmente, a linguagem estarem a ela subordinada.

A ordem simbólica estará sempre constituída por um conjunto de significantes que estabelece os lugares a que cada um possa participar na vida social.

Trata-se de uma estrutura universal abrangente de todo campo de ação da existência humana. Configurar-se-ia como um fator ou aparelho inconsciente. O significante emerge como a mola mestra do simbólico, diz Lacan em "Função e campo da fala e da linguagem na psicanálise" (*Escritos*, pág. 238).

Édipo

NA PSICANÁLISE LACANIANA, o Édipo será sempre uma metáfora. No dígito 265 do *Édipo em Colono*, Sófocles anota: "Os atos padeci, não os cometi." Um personagem inocente.

O tempo lógico

O DIÁLOGO ANALÍTICO, a arte do diálogo, pretende fazer que o sujeito não fale muito cedo nem muito tarde, e sim no tempo especial a que Lacan denominará "o tempo lógico", termo para muitas dúvidas e discussões.

O tempo lógico de Lacan passa pelo estudo dos "três tempos do sujeito": o tempo de olhar, o de compreender e o de concluir. A primeira inserção de Lacan nos temas referidos está nos *Escritos*, com o título: "O tempo lógico e a asserção de certeza antecipada" (p. 197).

Vamos ao seu estudo.

As sessões curtas

A brevidade das sessões e a impossibilidade de determinar seu fim estimulam o paciente a entregar-se à sessão livre (Schneiderman, 1988).

O paradoxo de Russell

No livro *Lacan elucidado: palestras no Brasil* (1997), de Jacques-Alain Miller, deparamos com o capítulo "Respostas do paradoxo", no qual está formulado o seguinte enunciado: "dizer é diferente de querer dizer". Trata-se de um fundamento essencial da prática analítica que Miller traz à teoria de Jacques Lacan.

O "paradoxo de Russell" foi formulado pelo filósofo Bertrand Russell, lógico inglês nascido no século XIX e premiado com o Nobel da Paz.

O texto de Miller é difícil e sinuoso, todavia é recomendado a todos os lacanianos, pois reflete sobre um esquema sobre o qual Lacan pensou em toda a sua vida. "Este é quase o núcleo do ensino de Lacan", com suas sutilezas que confirmam não ser a psicanálise uma pedagogia, porém uma experiência existencial, em que se aprende: "Tu és analista".

12. Matematização da psicanálise lacaniana

Inspirações de Jacques Lacan

No livro *Nomes do pai* (2005c), Lacan refere-se à matemática como a ciência fundamental. Em outro texto pesquisado, encontra-se a afirmação de que a matemática teria por função a simplificação da realidade, e diz-se com propriedade que ela é "fruto de seu tempo", havendo por isso de situá-la no contexto histórico.

Já passados 2.200 anos, a petição formulada por Euclides permanece inteira e demonstrada com rigor, todavia pode-se afirmar que a matemática não é uma construção acabada e cabal. Trata-se da mais abstrata e hipotética das ciências, que por suas incríveis possibilidades tem a capacidade misteriosa de promover contornos exatos nos processos mentais.

A matemática influi em e é influenciada por diversas ciências do entorno do saber (epistemologia), tais como astronomia e física, e por todas as propostas ditas como *exatas*, bem como pela lógica filosófica (Peirce e Russell). É composta por várias disciplinas: numerologia, aritmética, equações, geometria, álgebra, estatística, topologias, teoria nodal, teoria dos conjuntos etc.

Na fachada da Academia de Platão, em Atenas, está inscrito: "Não entre aqui quem não tiver o espírito e o conhecimento da geometria".

Quatro nomes sobressaem quando se trata de unir a matemática com a lógica: Frege, Boole, Cantor e Gödel.

Como invenção humana, a matemática foi utilizada por Lacan, ao modo dos gregos (Pitágoras), para propor teoremas e estimar lemas e axiomas. Essa concepção das ciências matemáticas pretende adaptá-las ao conceitual psicanalítico lacaniano.

Na década de 1960, o professor Alan Sokal, da Universidade de Nova York, foi crítico incansável da maneira como a matemática foi utilizada pelos intelectuais franceses e pelo pós-modernismo. Digo isso para mostrar que as perquirições lacanianas não passaram em branco e foram, sim, contestadas, contudo mantendo uma grei de defensores, como Glynos, Stavrakakis e Fink.

Fink (1997) registrou: "Lacan procurou obter certos efeitos no leitor que não fossem de significado; ele procurou nos despertar, nos provocar, nos perturbar – não nos embalar e sim, nos sacudir para fora das nossas rotinas conceptuais". (Ver "O aturdito", 2003a.)

Diante dos enigmas matemáticos apresentados pelo mestre, uma conclusão se faz merecida: Lacan usaria a terminologia matemática como metáfora. Fala-se, então, em metaforização da psicanálise lacaniana.

Todavia, ele próprio contestou tal hipótese: "Com os matemas não faço metáforas" – e tomou como sua uma epígrafe de André Gide: "E, metáfora ou não, o que digo aqui é perfeitamente verdadeiro".

Encaminho meu leitor para o texto "Posturas e Imposturas – o estilo de Lacan e sua utilização da matemática", de Glynos e Stavrakakis (2001).

Matema

Palavra inventada por Lacan, advinda da conjunção de dois outros termos: *Máthêma*, do grego, no sentido de conhecimento e *mitema*, vindo de Lévi-Strauss, para significar o estudo dos mitos culturais. Aí estariam resumidos a "álgebra e/ou matemática lacanianas".

As funções dos matemas teriam duas proposições: 1) assegurar a transmissibilidade do conhecimento; 2) ser utilizadas para compor-se com as matemáticas. Diga-se que o mestre não usou *a* lógica matemática, porém *uma* lógica matemática, pois cada corrente dessa ciência corrobora a sua própria lógica.

Significante e significado

O significante seria a "materialidade sonora ou imagética" da linguagem, conceito apreendido de Ferdinand de Saussure ao deparar com a dicotomia significado/Significante, invertida na "álgebra lacaniana" para Significante/significado:

$$\frac{s}{S} \text{ para } \frac{S}{s}$$

Inversão inspirada na "química silábica" de Freud.

Lacan postula que o Significante não representa *ipsis litteris* o significado; no entanto, terá sempre muitas significações.

O efeito Saussure

Ferdinand de Saussure, fundador da linguística, propôs conceber uma ciência que estudasse os signos dentro da vida social.

Foi ele que substituiu o sintagma "imagem acústica" por *significante*. Ao se apropriar desse termo, Lacan, revolucionou a psicanálise no seu projeto de escuta.

Do próprio Saussure realça-se o efeito ou impressão psíquica dada pelos sentidos humanos, muito além do som material, em que pese a natureza auditiva de Significante e significado. Em tempo: significado é o conceito.

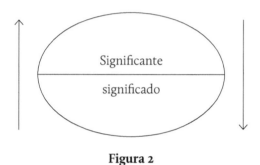

Figura 2

A elipse e as duas setas invertidas constituem uma "unidade psíquica".

O Significante representa um sujeito para outro Significante.

O sujeito do significado é a pessoa, mais precisamente a primeira a fazer uso da palavra; o sujeito do Significante é o que fica comprometido, por meio da própria enunciação, com o enunciado.

Exemplo: se digo "Quero compreender Lacan", no ato de expressar meu desejo, para quem me ouve ou me lê, serei o sujeito da enunciação; o sujeito do enunciado será aquele que realmente se compromete com a promessa. Desse modo, o sujeito da enunciação ficará de fora do jogo. Dentro do jogo estará o sujeito do enunciado. Simples assim.

Representações gráficas

O que é gráfico será sempre representado de forma plástica. Na história da humanidade, um dia foi rabisco, pictograma, desenho, figura, pintura, imagem, signo, ícone, vetor, logo, tatuagem, *símbolo* e outros títulos da modernidade. Talvez até o "arquivo" de Roudinesco possa aí ser incluído.

O simbólico em Lacan não tem relação com o simbolismo freud-jung-groddekiano. Ele substituiu o conceito de símbolo ou simbolismo pelo de "ordem simbólica", aquela que vai intervir no imaginário, organizando-o para garantir o predomínio dessa referida ordem.

Para Lacan, as representações gráficas não são coisas em si; servem apenas para nos ajudar a pensar. Trata-se de instrumentos facilitadores do entendimento das estruturas clínicas, operadores da leitura.

Como tudo em que se apresenta como um "esqueleto", haverá aquela simplificação capaz de promover equívocos. Lacan já fizera esse alerta, afirmando que qualquer expressão de sua álgebra só teria sentido se fosse sustentada pelo próprio ato de fazer a análise, enriquecendo e dando conteúdo ao que está esboçado nos gráficos.

Neste capítulo, não aprofundarei cada apresentação, pois isso seria reescrever Lacan. Vou ser sucinto, dando indicações necessárias para o leitor expandir seus conhecimentos.

Vamos lá, em sequência cronológica:

Signos necessários

A = Outro (*Autre*), grande outro, lugar da lei.
$\cancel{A}$ = A barrado, dividido, fendido.
$\boxed{\text{objeto } a}$ = É a invenção de Lacan. "O que sou no desejo do Outro". Aponta a entrada do homem na linguagem. Objeto causa do desejo, como a ideia da virgindade em Buñuel, autenticada em seu filme *Esse obscuro objeto do desejo*.
$\cancel{S}$ = sujeito barrado, efeito da linguagem (falta a ser), centro da experiência analítica, também chamado de sujeito do desejo inconsciente ou, como Lacan diz à página 13 do *Seminário 17* (1992a), sujeito dividido. E, também, fendido.

NOTA IMPORTANTE: todos esses termos que soam como uma divisão referem-se à separação, ocorrida no sujeito, entre o seu psiquismo mais profundo e a sua expressão consciente – a *Spaltung* de Freud.

- R = Real (inefável e enigmático).
- S = Simbólico (ordem simbólica).
- I = Imaginário (o objeto *a*).
- 3 H = Husserl, Heidegger, Hegel.
- Esquema L = Lambda, Z, esquema de Lacan (entendimento da neurose).
- Esquema R = surgimento da "realidade psíquica" (Freud) (entendimento da psicose).
- RSI = Estrutura borromeana ou triádica de todo ser, conforme quis o Lacan da maturidade.
- Real = experiência do pesadelo.

Todo sintoma tem a estrutura de uma perda primitiva (Žižek).

S_1 = significante mestre.

$\boxed{a \text{——} a'}$ = outros imaginários ou eixo imaginário. Eixo da relação: uma imagem do outro *ao* outro como imagem. Essa é a fábrica do Eu. Aí está a relação imaginária.

$\boxed{semblant}$ = tradução direta: aparência. Outras ênfases em português: imitação, simulacro, fingimento, parecido com, supostamente igual. Talvez: sósia, semblante.

$\boxed{desejo}$ = função dos campos da demanda: 1) relações do desejo com a linguagem; 2) inconsciente + realidade sexual; 3) certos desejos: a história.

$\boxed{\dfrac{S}{s}}$ = Significante.
       = significado.

$\boxed{\mathcal{S} \lozenge a}$ = função de todas as relações possíveis entre $\mathcal{S}$ e *a* (de imaginário).

φ = libido do falo imaginário.

Φ = libido do falo simbólico.

$S_1 - S_2 - S_3 - S_4 - S_5 ...$ = cadeia ou bateria de significantes capazes de promover o *discurso* como estatuto do significado (página 11 do *Seminário 17*).

Lugar = À página 15 do *Seminário 17*, diz Lacan: "O lugar sempre teve seu peso para estabelecer o estilo a que chamei de manifestação [...] que tem relação com o sentido corrente de interpretação".
Cada lugar geográfico permite ou inspira um tipo de intervenção.

Sincrônico = o que ocorre, existe ou se apresenta ao mesmo tempo.

Diacrônico = compressão de fatos e acontecimentos em sua evolução no decorrer do tempo.

Sintoma – sinthôme

Na medicina é a expressão de uma doença orgânica. Na psicanálise tem outro sentido: é a conjunção de fatores psíquicos, com um "estatuto", donde sobressai o "equívoco". Conforme Lacan, é na intervenção do analista sobre o equívoco que se poderia libertar ou desfazer os nós responsáveis pelo sintoma.

Temos de passar pela tríade do Real-Simbólico-Imaginário, no jogo de palavras analista-analisado, no qual o Real será possivelmente tocado pelo simbólico.

Então entraremos na última clínica de Lacan, a do Real.

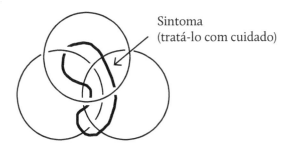

Figura 3

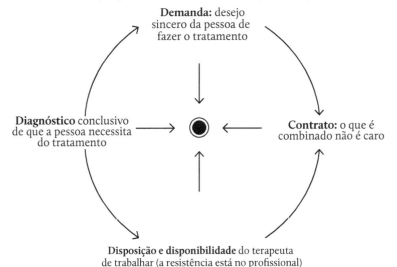

Figura 4 – Conjunção de fatores no início da análise

O que são os discursos de Lacan

Os DISCURSOS INICIAM-SE A partir de *O mal-estar da civilização* (1930), quando Freud vivia a ameaça de seu câncer buco-maxilar. O desenvolvimento do tema tratar-se-ia de um ajuste da analogia entre o crescimento individual e o desenvolvimento da civilização. Diz Freud: "Um dos empenhos da civilização consiste em juntar os homens em grandes unidades".

Para esse desiderato o homem fala, desenvolve suas ideias, cria pensamentos, organiza ideologias, contorna ou estimula seu pendor agressivo, refere-se às coisas evidentes, impõe o instinto de morte, reflete sobre a agressividade, a destrutividade e a autodestrutividade – e também sobre o amor.

E tudo isso há de ser comunicado entre os semelhantes "prestando contas", fazendo comparações etc. Estamos diante dos discursos que Lacan propôs usando seus matemas, a álgebra lacaniana.

O processo da comunicação humana está sustentado pela retórica aristotélica em que há uma pessoa falante (quem), uma fala pronunciada (que) e um possível ouvinte (quem).

Trata-se de uma equação inicial e primária [$q_1 + q_2 + q_n = f$ (função da relação humana)].

O discurso deve ser entendido em sua forma coloquial e não como mensagem solene e prolongada, como se fora um sermão (o sermão de Padre Vieira).

E cada um terá a sua verdade.

Pode-se entender, ainda, o discurso no sentido de Michael Foucault, da produção de saberes, constituindo a epistemologia, a ciência do conhecimento.

Quatro fórmulas de discurso

Os termos que compõem o universo discursivo são:

S_1 = significante mestre.
$\mathcal{S}$ = sujeito (sujeito é sempre dividido).

S_2 = o lugar do saber (lugar da verdade).

objeto a = objeto mais de gozar ("mais-valia") – posição substancial do analista

À página 17 do *Seminário 17 – O avesso da psicanálise* (1992a), Lacan, referindo-se a esses termos (alados), diz: "É preciso simplesmente familiarizar-se com o seu manejo".

Matemas

DISCURSO DO MESTRE: É aquele que pretende ser protagonista, isto é, estar em primeiro lugar, por fim, ter o domínio social.

$$\frac{S_1}{\cancel{S}} \xrightarrow{M} \frac{S_2}{a}$$

Discurso histérico: é o que compõe um mistério, um enigma. Ausência do saber: não sabe que sabe.

$$\frac{\cancel{S}}{a} \xrightarrow{H} \frac{S_1}{S_2}$$

Discurso analítico: é o questionador por excelência de todas as outras formas de discurso. Busca o sujeito do inconsciente. Pergunta: *Che vuoi?*

$$\frac{a}{S_2} \xrightarrow{A} \frac{\cancel{S}}{S_1}$$

Discurso universitário: é aquele no qual se discute a ciência. Dele resulta a Tese.

$$\frac{S_2}{S_1} \xrightarrow{U} \frac{a}{\cancel{S}}$$

Esses discursos compõem o *gozo discursivo*, inspirados na *Fenomenologia do espírito*, de Hegel.

Hoje se fala no quinto discurso, o capitalista: discurso montado por Lacan com base no modo de funcionar do sistema capitalista, no qual existe a ilusão de distribuição igualitária do Gozo; nele o material humano dos trabalhadores seria tão consumível quanto qualquer produto da maquinaria social, o mercado e seu capitalismo selvagem. Aqui se pode discutir a mais-valia de Marx como "espoliação" do gozo, um tema longo e difícil.

$$\frac{\cancel{S}}{S_1} \overset{C}{\times} \frac{S_2}{a}$$

Esquemas

Esquema L, Lambda, Z ou de Lacan

Traça a linha da relação imaginária a — a' ou a' — a.

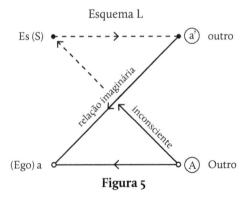

Figura 5

Relação entre a realidade psíquica e o Real

A realidade psíquica estará sempre bordejando o Real. Por isso se diz que atingimos o Real apenas pela *borda*. O Real é intocável: se lhe tange a borda ele recua e se transforma na realidade.

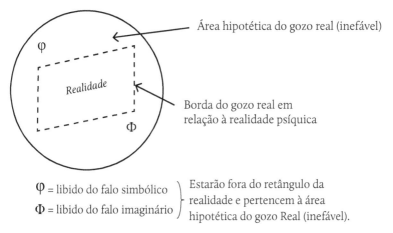

Figura 6

O esquema R

Graficamente falando, é composto pela confrontação de dois triângulos desmembrados do esquema L, intermediados pela "realidade", diga-se realidade psíquica.

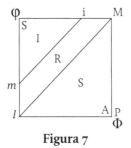

Figura 7

Banda de Moebius

Se destacarmos, como um recorte, o espaço, o campo, a banda da realidade, veremos que esse losango poderá ser montado à semelhança da banda de Moebius: I acoplará com i, e M, com m.

A fim de identificar a área reservada à realidade no esquema R com a banda de Moebius, é necessário transformar o esquema estático em esquema projetivo, dinâmico, passível de "animação", pulsante e topológico. (A palavra pulsante, aqui, não é inocente.)

Com a banda de Moebius, a topologia lacaniana nos ensina que, no estudo do psiquismo, não há dentro e fora, interior e exterior, consciente e inconsciente, pois tudo isso pertence a um plano específico e único.

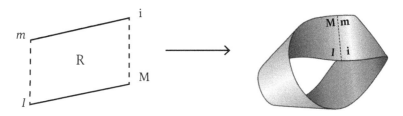

Figura 8

A banda ou fita de Moebius é o mais célebre objeto físico da *topologia*, de fácil construção e aplicação didática. A melhor forma de apresentá-la é fazendo-a na prática. Assim: toma-se uma fita longa, estendida verticalmente. Em seguida, realiza-se uma torção ou meia torção da fita, unindo-a pelas extremidades (ver as figuras anteriores e as seguintes).

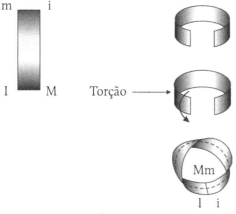

Figura 9

O esquema I

Em seus *Escritos* (1998b, pág. 577), Lacan introduz o esquema I, o qual pretende dar conta da estrutura do sujeito ao término do processo psicótico. Ele lança mão da banda de Moebius resultante do esquema R, submetendo-se a uma distorção e ao esgarçamento de sua expressão topológica. O próprio Lacan justifica-se: "Sem dúvida esse esquema participa do exagero a que se obriga toda formalização que quer apresentar-se ao intuitivo".

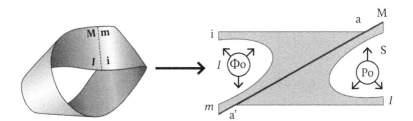

Figura 10

O nó de Borromeu

Como o próprio Lacan diria em 1979, a metáfora do nó de Borromeu é exagerada, pois não haveria nada que pudesse dar suporte à verdade do RSI (*Seminário 26*, ainda não publicado).

E o que seria esse nó tão falado? *Nó* seria uma curva fechada sem pontas soltas, porém o chamado nó borromeano na verdade seria uma *cadeia*.

O brasão da família Borromeu foi usado para compor essa cadeia de Lacan. Deve-se compará-lo ao nó olímpico, bastante conhecido no mundo dos esportes, representando os continentes participantes das Olimpíadas.

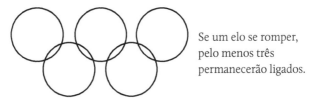

Se um elo se romper, pelo menos três permanecerão ligados.

Figura 11 – Nó olímpico (próprio da neurose)

Se um elo se romper, rompe-se a ligação.

Figura 12 – Nó de Borromeu (próprio da psicose)

A partir das ideias filosóficas de Kant expostas em três livros[2], Lacan introduziu o RSI dentro dos nós borromeanos, tendo estudado esse tema por dez anos (1970-1980).

---

2. *Crítica da razão pura, Crítica da razão prática, Crítica dos juízos* (século XVII).

Figura 13
Real = entendimento (em busca dele), do que é faltante em cada pessoa, sobre o que a vida lhe oferece: os significados.
Simbólico = seria a nossa razão, a nossa história.
Imaginário = nossas percepções, ainda que ilusórias.

Grafo do desejo

Fora das leituras lacanianas, o melhor texto sobre o grafo do desejo encontrei no livro homônimo do analista argentino Alfredo Eidelsztein (2017). Livro denso, inicia por articular os sintagmas "Ideal do Eu" e "Eu Ideal". Ideal do Eu = simbólico; Eu Ideal = imaginário. Esse livro de 248 páginas está apto a nos oferecer todos os momentos em que se constrói a montagem do gráfico.

Atemo-nos ao grafo final completo. E, como quis Lacan, a partir daí levo meu leitor a estudar para dar densidade ao seu conhecimento de valor intelectual e conceitual.

Estudem, amigos.

Se a construção do grafo nos parece difícil e obscura – e sem dúvida o é –, indico outro caminho, mais leve e enriquecedor. Trata-se da leitura do *Seminário 6 – O desejo e sua interpretação* (2016). Filósofos e poetas são convocados a um debate ilustrativo, iniciando por Aristóteles e passando por Espinoza, com a fórmula "o desejo é a própria essência do homem".

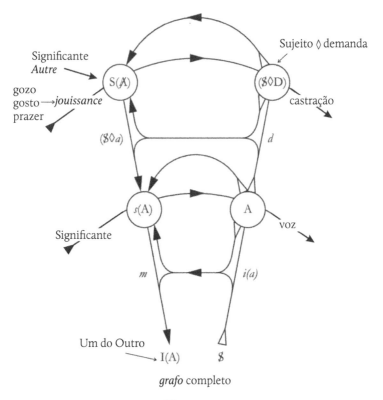

grafo completo

Figura 14

A ilusão do buquê invertido

Trata-se de usar as leis da ótica, próprias da metapsicologia psicanalítica, com a finalidade de provar que as pulsões existem e, na teorização, fazer a distinção magistral entre as funções do Eu Ideal e do Ideal do Eu.

Para entender a figura, devemos ir à página 679 dos *Escritos,* onde se expõe a chamada "ilusão do buquê invertido", baseada em relatório de Daniel Lagache. Texto difícil, que nos exige leitura atenta e conhecimento de geometria ótica. E muito mais.

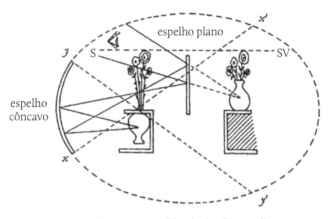

Esquema simplificado dos dois espelhos

Figura 15 – O buquê

Para encerrar

"O INCONSCIENTE É ESTRUTURADO como uma linguagem." Essa é a tese de Lacan para o mecanismo de formação do inconsciente. Para ele, as regras estruturais da condensação e do deslocamento que estabelecem o sentido da linguagem sistematizam-se assim: similaridade e condensação referem-se à *metáfora*; contiguidade e deslocamento referem-se à *metonímia* – sem dúvida, definições presentes no trabalho de Roman Jakobson.

Em grego, *methafora* significa transporte, enquanto *metonymia* denota mudança de nomes. Na leitura de Freud e Lacan encontraremos "aproximações engenhosas" e palavras de "duplo sentido" compondo a sintaxe gramatical ou a lógica discursiva.

No livro *O inconsciente – O que é isso?* (2012), Colette Soler refere-se à sequência de interferências que Lacan promoveu no grafo do desejo, o que o faz não concordando com muitos de seus estudiosos, inclusive ela própria. Então, ela constrói seu texto conduzindo o Inconsciente-Real de Lacan ao umbigo do sonho predeterminado por Freud. São dois ensinos postos de forma exemplar.

O Inconsciente fala, ou melhor diria Freud: "O Inconsciente, isso fala, e, falando, transporta o *desejo*". "A psicanálise é a ética do desejo." Diz-nos Soler: "Primeiro aspecto da tese – o sujeito é um efeito da linguagem".

E assim somos encaminhados ao relatório de Daniel Lagache, à página 653 dos *Escritos*. Trata-se de um texto longo, complexo, que se utiliza de aspectos óticos e geométricos. Um bom exercício de múltiplas vertentes. À página 807 da obra, penetramos o tema da "subversão do sujeito e da dialética do desejo no inconsciente freudiano".

Um texto para ser estudado com atenção e cuidado, reconhecendo adequadamente os elementos imaginários e/ou simbólicos, em que o Real será de outra ordem.

Lacan, assim como Freud, pesquisa as pulsões considerando o esquema da circulação pulsional, como se constata no livro *A teoria pulsional na clínica de Freud*, de Luiz Hanns (1999). Assim: *Trieb* = pulsão; *Drang* = pressão/ movimento; *Quelle* = a fonte; *Objekt* = objeto; *Ziel* = alvo; *Lust* = prazer; *Abfuhr* = descarga; *Reiz* = estímulo; *Spannung* = êxtase; *Angst* = ansiedade.

13. O estilo

O estilo de ensinar, interpretar e conversar de Jacques Lacan

Para Lacan, cada noção, palavra escrita ou falada do professor deverá ter "vida própria", precisamente na *dialética do conhecimento*.

À página 34 de seu texto *Meu ensino* (2006a), ele inscreve: "Com efeito, meu ensino é muito simplesmente a linguagem, nada além disto". "O homem habita a linguagem", diria Heidegger.

Ainda é Lacan quem nos diz: "Ninguém antes de mim parecia ter dado importância ao fato de que, nos primeiros livros de Freud[3], encontramos um fator comum, proveniente dos tropeços da fala, furos no discurso, jogos de palavras, trocadilhos e equívocos".

Jogos de palavras, jogos de ideias, jogos de pensamento e, por que não, jogos de sentimentos, digo eu.

As possibilidades do jogo verbal nas estruturas da linguagem foram estudadas a partir dos trabalhos de Roman Jakobson e Saussure.

---

3. Primeiros livros de Freud: *Sobre os sonhos, Psicopatologia da vida cotidiana* e *Os chistes e sua relação com o inconsciente*.

Wittgenstein e Foucault propuseram, ao modo de Lacan, a proporção do jogo na produção da linguagem, seja ela ficcional, onírica, objetiva ou subjetiva, sempre como experiência da criação (*poiesis*).

Lacan pode ser visto (ou lido) em conferências, escritos, seminários, entrevistas, falas de improviso e de paradoxos. O paradoxo fundador da linguagem é, diante da "coisa" (*Das Ding*[4]), encontrar a palavra para nomeá-la. A linguagem, por meio da palavra, se movimenta entre o que é declarado e o que é reprimido.

Em Lacan a linguagem será concebida como a presença da clínica, não tendo, pois, relação nem com o realismo nem com o idealismo; todavia, o surrealismo marca ponto no pensamento e no dizer do mestre.

A subversão semântica que Lacan introduziu na linguagem psicanalítica dá ao significante diferentes sentidos. No mínimo, o sentido reconhecido na fala corrente e, ademais, "outros" sentidos ao referirmo-nos ao implícito e ao explícito.

Sabe-se, por seus estudiosos, que Lacan dedicava-se a subverter a ordem simbólica, promovendo novas construções lógicas e certos neologismos, procurando sempre encontrar o Real... o pior.

Vamos a algumas inversões lacanianas.

Em seus *Escritos*, à página 72, Lacan anuncia a retomada do "projeto freudiano" ***pelo avesso*** (*sic*). Diante de tantas hipóteses do que resulta do ato psicanalítico, ele é enfático: "Deve-se

---

4. Sintagma da língua alemã usado por Freud para denominar o "objeto supremo de nossos desejos". Afirma Lacan: "O que há em *Das Ding* é o verdadeiro segredo".

acompanhar o paciente até o limite, em êxtase, com a conclusão analítica – tu és isto". Aí se revela o destino humano, o destino de sua mortalidade.

Nos anos 1970, ele permitiu uma mudança da sua tópica, até então conhecida como SIR. Fê-lo colocando o Real em situação mais extraordinária; hoje se diz RSI (Real, Simbólico, Imaginário).

Este é o eixo epistemológico do ensino de Lacan, como nos propõe a professora e psicanalista Michele Roman Faria no seu projeto de pós-doutorado. Segundo essa autora, em seu primeiro seminário (1953-1954/1986) Lacan afirmara: "Sem esses três sistemas de referência não é possível compreender a técnica e a experiência freudianas".

Classicamente se pode citar a troca do Significante e significado que em Saussure se explicita como

$$\frac{s}{S} \text{ para } \frac{S}{s}.$$

À sua maneira, Freud afirmava: "A anatomia é o destino". Lacan retificou: "A anatomia não é o destino".

A teoria do inconsciente foi apenas esboçada por Freud; Lacan procurou ampliá-la, criando a ***teoria do sujeito***. O inconsciente deixa de ser a sede dos instintos para tornar-se a sede da linguagem, ao pé da letra, a letra como suporte do discurso, o significante.

Lacan propôs superar o momento imagético de Freud, afirmando que o simbólico não depende do imaginário, e sim que o imaginário é que será retificado pelo simbólico. Se Freud inventou sua teoria fundamentando-se no biológico, a teoria lacaniana apoia-se no cultural, que é o simbólico.

Lacan defendia um "acerto de contas" com os filósofos, provocando-os, afrontando o *cogito* de Descartes e apoiando-se em Hegel e, talvez, Kant, aproximando-se das filosofias idealistas.

De sua saída de International Psychanalitical Association (IPA), a que chamou excomunhão, construiu o seu tempo com a promessa de expor um pensamento bizarro, porém criativo, promissor e... poderoso.

Para entendê-lo, deve-se compreender sua posição diante das desfigurações possíveis da via gráfica, bem como das transformações fonemáticas e semânticas, sempre visíveis na fala e na escrita – o que leva à expansão da regra psicanalítica: o desejo deve ser tomado ao pé da letra.

A subversão do cogito cartesiano para o Inconsciente assim é designado: "Sou onde não penso, penso onde não sou".

A instância assemântica da proposta psicanalítica opera no sentido de significar e "dessignificar" conceitos, o que o facilitou deslocar as questões analíticas e existenciais para as doxas literárias, filosóficas, políticas, jurídicas, antropológicas, culturais e até teológicas.

Segundo o analista junguiano James Hillman (1995), Freud teria entendido errado o mito de Édipo porque este seria o espírito da psicanálise: perverter, perturbar, deslocar – por fim, ler mal de forma a suspender o sentido usual da repressão. Para ele, qualquer que seja a realidade familiar, o mito é retido: "Somos todos Édipo". Ainda que a história se desenrole como ficção.

Todavia, não se consegue corrigir o que é da mitologia. Os psicanalistas como Lacan dedicam-se ao senso trágico da humanidade, procurando ouvir os oráculos, pretendendo decifrar os enigmas. É de Dostoievski: "Deus só nos deu enigmas".

O uso da palavra ao modo de Lacan, em suas inversões, permite ao seu interlocutor um novo pensamento, um novo sentimento, a que se denomina "posição subjetiva" – no caso, "nova posição subjetiva".

Nessa linha de raciocínio, devemos registrar o domínio do *não dito*, ou melhor: dizeres do pensamento ou do sentimento não revelados, ou que são expressos pelo "ato falho".

Encontramos o *não dito* na religião, em suas cerimônias primitivas (umbanda, por exemplo), na arte, em suas transfigurações (Bosch, Dalí), na literatura em sua fecunda criatividade (Dostoiévski), nas ciências, em sua superação do anímico/sagrado (Darwin, Lamarck), na psicanálise, inflamando os desejos erógenos, e nas filosofias, com os fluxos nômades e marginais.

Ainda:

- no carnaval brasileiro, com suas extravagâncias andróginas;
- nos estamentos neuróticos, com a angústia prevalente, a preocupação excessiva, a autocrítica desmedida e tantos segredos indizíveis;
- na loucura subjacente ao uso indiscriminado das drogas e nas relações promíscuas do fundo da noite;
- na amplitude semântica da liberdade poética;
- Nas sessões de análise em que há um imenso caldeirão de *não ditos*: pela vergonha, pelas perversões, pela censura, pelas ilusões da liberdade, pelo engodo, pela prepotência de alguns.

Na dialética dos contrários, nas significações invertidas, nas surpresas retóricas, no jogo do esconderijo (de Betty Milan), na invenção das palavras (neologismos) e de paradigmas.

Na astronomia chinesa, resultante de um jogo de significantes (ver a página 144 do *Seminário II*, 1985c), ciência primitiva motivada pelas facções sexuais da sociedade, praticamente um conjunto de técnicas e exercícios da sexualidade.

Cinco são os elementos da astronomia chinesa: terra, metal, água, madeira e fogo. A complexidade de seu entendimento dá vazão a outras áreas de estudo: filosofia, medicina, aritmética (regra de 3), geometria, álgebra, calendário lunar (de 365 dias) e a apreciação da abóbada celeste. Acreditavam que esse mundo celeste seria afetado pela forma como os governantes do país e das províncias se comportavam politicamente (ou o seu inverso?). Quatro seriam os símbolos respeitáveis: dragão verde, pássaro vermelho, tigre branco e tartaruga negra. Por esse tempo (século I, dinastia Han) descobriram a pólvora, a bússola, o papel.

E, por fim, a impossibilidade do Real.

Do livro *Para compreender Lacan*, de Jean-Baptiste Fages (1975), retiramos: "Toda a paisagem lacaniana é talhada por figuras sintáticas, toda a escrita é, poderia se dizer, *metatáxica*".

Seguindo-se as seguintes conotações da linguagem:

1   jogos fônicos;
2   jogos sintáticos;
3   jogos semânticos;
4   jogos lógicos, donde se destacam: reticência, alusão, silêncios, hipérbole, repetição ou redundância, pleonasmo, eufemismo, alegorias, fábulas, parábola, ditados, imitação (*mimésis*), ironia (ironia socrática), antífrase, denegação, paradoxo, permutações (regressão lógica e cronológica) e petição de princípio.

A poesia (*poiesis*) é a criatividade de uma pessoa colocando-se perante uma nova ordem de relação simbólica com o mundo. Lacan teve a oportunidade de fazer reflexões profundas sobre a poesia, o que impregna toda sua obra.

A partir da página 329 do *Seminário 8* (2010), estudou a trilogia claudeliana com rigor e musicalidade. Paul Claudel, chamado de "o poeta da unidade perdida", tem como referência básica os textos bíblicos.

Na minha juventude, li alguns poemas de Claudel; dele impressionou-me o verso: "Igreja, hangar de Deus".

Finalizando este capítulo, não se pode deixar sem comentário algo sobre o *estilo* em Lacan.

O vocábulo nasce em Buffon – "O estilo é o homem" –, a que o mestre adjudicaria: "O homem a quem é dirigido" (o outro).

Assim, o ponto-final é resumido na pergunta de um tal de Richele: "O pensamento dele é que é hermético ou o nosso é que é limitado?"

A arte das alusões dúbias, indefiníveis e hesitantes compõe o estilo Lacan de se expressar – o que, segundo Catherine Clément (1983), sua discípula, retomaria a tradição do "meio dizer", do "claro-escuro" da mensagem esotérica, tradição encontrada no poeta Mallarmé.

14. Tábula da sexuação

ANTES DE ADENTRARMOS NO tema da sexuação propriamente dito, vamos a notas introdutórias que possam estimular o leitor.

Para criar a sua tábula da sexuação, Lacan inspirou-se na teoria dos conjuntos da lógica matemática proposta pelo matemático russo-alemão George Cantor. O tema define as relações havidas entre vários conjuntos e entre os elementos presentes dentro de um mesmo conjunto.

Por sua vez, a "lógica matemática" pretende fazer a análise das proposições dadas, para reconhecê-las como verdadeiras ou falsas, alterando a visão de Aristóteles com os silogismos de sua escritura.

Em Lacan, a sexuação não é sexualidade biológica, mas o fato de se reconhecer homem ou mulher. Os aspectos orgânicos, biológicos e anatômicos não são considerados, apenas os da área psíquica.

Coube à psicanálise demonstrar que a sexualidade humana nasce de "um longo processo psíquico", resultando nas diferenças ou diversidades sexuais. Um mundo psíquico-social complexo e complicado. Um trajeto labiríntico, não obrigatoriamente necessário, que nos dias de hoje desemboca no radicalismo do movimento *no-sex*.

Anotar tudo o que Lacan comunicou-nos seria TRANSCREVÊ-LO. Impossível tal desiderato. O melhor será estudá-lo no original para se entender como as suas fórmulas apoiam-se na "teoria dos conjuntos".

Filósofos e matemáticos que influenciaram Lacan

LACAN RECORREU A ARISTÓTELES, Cantor, Frege, Peirce e Newton Costa, utilizando-se dos "quantificadores" de Frege e do modo de pensar desses autores para organizar os critérios da sexuação, como pretendeu fazer e o fez.

Aristóteles

Dele falei no Capítulo 4, quando me referi aos filósofos gregos presentes na obra do psicanalista. Aristóteles foi aluno de Platão e professor de Alexandre, o Grande, duas nuances intelectuais que o consagraram. Além disso, recebeu contribuições de Sócrates.

Lacan imiscuiu-se nas proposições aristotélicas (formas de governo e fundamentos do Estado) para buscar o "laço social", pois, para ele, a experiência analítica não passaria de uma busca com este assim chamado "laço social", entendido em suas topologias horizontal e vertical como um discurso no qual um sujeito remete sua fala a outro.

Aristóteles estabelecera o "quadrado das proposições", que Lacan subverteu, como era de seu estilo, para compor o "quadrado lógico da sexuação".

Os escritos lógicos (correto pensar) desse filósofo foram publicados sob o título *Órganon* (instrumento), e foi nesses estudos que Lacan teceu, com seus axiomas, a teoria do silogismo ou método silogístico.

Exemplo de um silogismo: "Nenhum homem é Deus, todos os gregos são homens ∴ (portanto) nenhum grego é Deus".

Classificação das proposições:

- relativas à quantidade – universal, particular, singular;
- relativas à qualidade – afirmativa, negativa;
- relativa à modalidade – necessária, possível e impossível.

Diz-se apodítica quando a proposição é universal e necessária.

Georg Cantor (1845-1918)

Nascido em São Petersburgo, era filho de um comerciante dinamarquês com uma musicista russa. Por ter estudado na Universidade Humboldt de Berlim e vivido na cidade alemã de Halle, onde faleceu, é considerado um matemático alemão. A atuação de Cantor é celebrada por ter elaborado a teoria moderna dos conjuntos, tema difícil a ser pesquisado pelos interessados.

Friedrich Ludwig Gottlob Frege (1848-1925)

Filósofo alemão, lógico matemático e estudioso da linguagem, é tido como o "desconstrutor" dos argumentos aristotélicos. Foi o responsável pela criação dos "quantificadores" usados por Lacan.

Quantificador seria a expressão de toda ação que quantifique experiências e observações traduzidas em números para a contagem ou mensuração (medida), misturada com os ditos "quantificadores da linguagem" (semântica).

Charles Sanders Peirce (1839-1914)

Considerado um grande filósofo, foi responsável pela criação do chamado diagrama de Peirce, clássico das teorias da linguagem e da comunicação em que seria investigada a relação dos objetos com os pensamentos.

Suas ideias reforçam a "falibilidade" humana que Lacan tanto apregoava: a fragilidade da existência perante as forças da natureza (ver a pintura do "A grande onda de Kanagawa", de célebre Katsushika Hokusai.

A semiótica peirciana é considerada uma filosofia científica da linguagem, sendo a semiótica o estudo dos signos, ícones, símbolos e índices.

A relação Peirce-Lacan pretende preencher as lacunas conceituais existentes na psicanálise de Lacan, e as ideias de Peirce têm sido usadas para embates teóricos dentro da própria psicanálise.

Newton Costa (1929-2020)

Newton Carneiro Affonso da Costa é o filósofo brasileiro criador da "lógica paraconsistente" (1950), inspirada na lógica clássica e no paradoxo de Russell (ver o Capítulo 11 deste livro).

Ele desejava dar credibilidade lógica à *contradição*. É da lavra do filósofo: "O motivo principal de minhas investigações em lógica paraconsistente foi o de desenvolver uma lógica onde a existência de contradições não implicasse trivialidades, possibilitando utilizar a teoria dos conjuntos da lógica matemática" (*apud* Miller, 1997).

Quando Lacan procurou formalizar a estrutura das sexualidades masculina e feminina, na tese da sexuação, de certo modo ele precedeu às ideias de Newton Costa – a lógica não lógica –, aceitando a *contradição* na sua obra (ver o *Seminário 19*).

Newton Costa afiançou as fórmulas da sexuação afirmando que, sob certos aspectos, Lacan foi o precursor da "lógica paraconsistente".

Vejamos três outros matemáticos estudados por Lacan:

George Boole (1815-1864) – Matemático e filósofo britânico criador da "lógica de Boole".

Kurt Göedel (1906-1978) – Matemático e filósofo austríaco criador do "teorema da incompletude".

Arthur William Bertrand Russell (1872-1970) – Matemático e filósofo britânico, era socialista, pacifista, feminista. Em 1950, ganhou o Prêmio Nobel de Literatura. Para ele a matemática era a fonte de todo avanço cultural da humanidade. Ficou cinco meses preso por sua militância política contra a Guerra do Vietnã. É dele a seguinte frase: "As pessoas inteligentes estão cheias de dúvidas e as pessoas idiotas estão cheias de certezas".

Seminários em que Lacan pontifica sobre a sexuação

L'Etourdit

É nesse texto que Lacan propõe o vocábulo "sexuação" para identificar o homem e a mulher em suas modalidades de gozo, atribuindo-lhes as ditas "fórmula lógicas" ou identificação sexuada.

É aí também que ele constrói o axioma "não há relação sexual", vindo de Freud: "Não há relação sexual que possa ser descrita" (em algum lugar). Do que trata tal afirmação? Resposta nos *Escritos* de Lacan.

A experiência analítica, isto é, submeter-se a uma análise, dá a esperança de que o sujeito venha a ter um encontro sexual concreto, sem filosofia.

Formulação do Seminário 5 – As formações do inconsciente

Nesse seminário o autor apresenta o falo dissociado do pênis, porém com poder de palavra ou à palavra, principalmente a tomada do poder pelas mulheres.

Apresentam-se, então, o falo simbólico Φ e o falo imaginário φ.

Na literatura de modo geral, encontra-se uma variedade de afirmações contraditórias sobre o significado dos símbolos do alfabeto grego Φ e φ.

Optei pelos conceitos que se repetiram com maior coerência: o Phi minúsculo (φ) como expressão significante do falo imaginário e o Phi maiúsculo (Φ) como expressão significante do falo simbólico.

Diz-se "localização imaginária do falo sob a forma de uma falta" a representação gráfica – $-\varphi$ (menos Phi minúsculo), ligada à ideia de castração.

Formulação do Seminário 10 – A angústia

De início, faço a transcrição de uma frase-lema: "Sentir o que o sujeito pode suportar da angústia o põe à prova a todo instante". Para Freud, a angústia seria sinal de algo, diga-se de passagem.

É nesse texto que Lacan corrige os que o criticam: "[...] acham que me interesso menos pelos afetos do que por outras coisas. Ao contrário, o que eu disse sobre o afeto foi que ele não é recalcado. O que é recalcado são os significantes que o amarram".

A angústia seria discernida em três níveis: o biológico, o sociológico e o cultural. Donde se pode falar do mundo animal, não humano, o *Umwelt*, para concluir: a angústia é aquilo que não engana, ou a angústia é o afeto que não engana – o que aponta para a procedência do desejo, determinado pelo objeto *a*.

Formulação do Seminário 18 – De um discurso que não fosse semblante

À página 64 desse seminário, Lacan cita Peirce ao se referir às proposições: universal, particular, afirmativa, negativa.

Aqui ele constrói o seguinte axioma: "Todas as mulheres" não existe, isto é, não existe o universal da mulher. Só existiria a mulher particular. Donde: "A Mulher não existe".

Nesse seminário há duas afirmações estruturantes: 1) No homem há uma conjunção entre o semblante (S) e o gozo (G); 2) Na mulher, há um disjuntivo entre S e G.

Formulação do Seminário 19 – ...ou pior

A proposta dessa exposição não é determinar a função da "relação sexual", mas sim o que torna impossível o acesso a ela. Lacan pretende destrinchar o conceitual de "NÃO-TODO" a partir de Aristóteles.

Segundo ele, o "gozo sexual" seria aquilo que abre a porta para todas as outras modalidades do gozo.

Em princípio, confunde-se a "função sexual" com a possibilidade da reprodução humana, o que não seria correto.

É também nesse seminário que Lacan disserta sobre o "quator":

$$\overline{\forall}x\,\Phi x$$

e outros. À página 46, ele reafirma que o estudo da lógica "pode perfeitamente prescindir do princípio da contradição".

Formulação do Seminário 20 – *Mais, ainda*

Ao longo do texto, Lacan vai salpicando frases enigmáticas a ser desconstruídas. "A masturbação é o gozo do idiota." "Há mulheres fálicas e a função fálica não impede os homens de serem homossexuais." "É na medida em que seu gozo é radicalmente dentro que a mulher tem mais relação com Deus." "Falar de amor, com efeito, não se faz outra coisa no discurso analítico." "E falar de amor é, em si mesmo, um gozo." "Como os neuróticos fazem amor? E sexo?" "A neurose é maior sonho do que a perversão." "O falo é o ponto-chave, o ponto extremo, do que se enuncia como causa do desejo."

Em *Mais, ainda*, Lacan organizou o que chamou de esquema, engrama, testemunho jurídico, sempre com a finalidade de estabelecer a verdade por meio das fórmulas proposicionais.

Ei-las:

$\exists$ = existe, quantificador existencial.

$\overline{\exists}$ = não existe.

$\forall$ = para todo, quantificador universal.

$\overline{\forall}$ = para NÃO-TODO.

$\forall x\,\Phi x$ = indica que é pela função fálica que o homem se inscreve; TODO.

$\exists x\,\overline{\Phi x}$ = trata-se da função do pai mítico (Ele existe).

$\overline{\forall x}\,\Phi x$ = função fálica da mulher; NÃO-TODO.

$\overline{\exists x}\,\overline{\Phi x}$ = função não determinada ("A Mulher não existe").

$\mathcal{S}$ = sujeito barrado.
Φ = significante do falo simbólico.
φ = significante do falo imaginário.
$\cancel{A}$ = Outro barrado.
X = função x (ou função exponencial): atribuição ou enunciado pesquisado; também dito argumento.

Montagem da tábula da sexuação

A título de açular os interessados, reproduzo aqui a tábula da sexuação, também dita equação quântica do sexo.

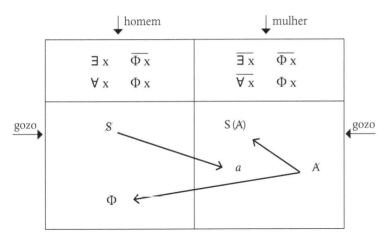

Figura 16 – A tábula da sexuação (*Seminário 20*, 1985b, p. 84).

Antes de tudo, é preciso conhecer o significado de cada fórmula algébrica e a que várias posições no quadrado tabular podem se referir. Tudo tem significado, o saber, o sentido, a direção.

O que é o saber? Retruca Lacan: "É estranho que, antes de Descartes, a questão do saber jamais tenha sido posta. Foi preciso a análise para que a questão se renovasse".

Acima, à esquerda, linha inferior, inscreve-se:

∀x Φx = função fálica do homem, dito TODO.

Acima, à esquerda, linha superior:

∃x $\overline{Φx}$ = função do pai mítico (Ele existe).

Acima, à direita, linha inferior, inscreve-se:

$\overline{∀x}$ Φx = função fálica da mulher, dito NÃO-TODO.

Acima, à direita, linha superior:

$\overline{∃x}$ $\overline{Φx}$ = função não determinada ("A Mulher não existe").

Então, veja-se: à *esquerda* sempre estará inscrito o que é do homem (do masculino) e, à *direita*, o que é da mulher (do feminino).

No quadrante abaixo, à esquerda

$\mathcal{S}$ = sujeito barrado.
Φ = significante do falo simbólico.

No quadrante abaixo, à direita:

S ($\bcancel{A}$) = o gozo da mulher.
 a = objeto *a*, o parceiro, o homem, o seu fantasma.
 $\bcancel{A}$ = outro barrado.

Assim, a função é que vai demonstrar de modo diferenciado esses dois campos: homem e mulher, em que qualquer sujeito, com qualquer anatomia, se inscreverá, com sua ideação plurívoca: homossexualidade, transexualidade, travestismos etc.

No quadrante de baixo, à direita, a mulher (A̷) tem dois caminhos: se ela se identificar com S (A̷), ela se representa somente como mulher, no caso, como mãe. Se a identificação é com Φ (do lado homem), ela se representa como homem – no caso como, homossexual.

Partindo desse parâmetro, buscam-se outras identidades.

Todavia, as mulheres se manterão sempre como enigma, sempre se queixando da indiferença do homem, com a contraparte masculina sempre se queixando do nervosismo das mulheres (lê-se em algum lugar).

A divisão proposta por Lacan não seria a de dois sexos, porém, de dois gozos: o fálico – todo fálico – e o não-todo, especificamente feminino.

Por gozo entenda-se o fenômeno psíquico-emocional que, na psicanálise lacaniana, denomina-se propriamente a "satisfação imaginária", posta no eixo a -- a', no qual está o investimento libidinal.

Do latim, deriva de *gaudium*. Trata-se de substantivo masculino: gosto, utilidade, fruição, prazer. Pode-se ainda dizer: ação de gozar, júbilo, emoção agradável, satisfação moral ou material, graça, alegria, folguedo, hilaridade, vantagem, regozijo, mofa, zombaria. Nas relações sexuais, é sentir prazer no ato, ter tesão, atingir o orgasmo. Por fim, satisfação da pulsão.

Na religião católica há os "mistérios gozosos", orações plenas de recompensa intelectual e contentamento espiritual.

Muitas seriam as formas do gozo: sexual, fálico, o do saber, o da sublimação (as obras de arte), o do delírio e o da santidade (o gozo místico).

O gozo pode ser representado como uma represa hidrelétrica estancada.

Últimos registros

- Os elementos teóricos da sexuação constituem a inovação necessária ao estudo das diferenças sexuais ou da diversidade pulsional.
- Lacan cria o sintagma "empuxo à mulher" para definir a ambiguidade sexual de Schreber, fugindo da definição edípica e propondo as modalidades de gozo para compor suas fórmulas de sexuação.
- Tirésias, o modelo de transexual, presentifica-se, na mitologia grega, como personagem além da morte, o que permitiu ao estudioso do tema ressaltar, nos transexuais, a dialética vida e morte. De sua experimentação bissexual, Tirésias concluiu que a mulher goza nove vezes mais do que o homem. Por isso, foi castigado pelos deuses com a perfuração dos olhos. Tornou-se cego, andarilho e vidente, a quem Lacan propõe ser o patrono dos psicanalistas.
- O masoquismo feminino seria uma fantasia do sádico masculino: a mulher gosta de sofrer (ou de apanhar), o que levaria inclusive ao feminicídio.
- A questão da sexualidade não passa pelo órgão anatômico que define macho e fêmea, mas pela dialética desejo e gozo. O ser humano, no seu gozo, tem fantasias e desejos variados: de

- homossexualidade, de perversão, de bissexualidade, de transexualidade e de outras infinitas possibilidades.
- Sexualidade não é genitalidade.
- O binômio "ativo-passivo" explicitado por Freud foi superado por Lacan com o conceito de "significação fálica", mensagem invertida de "significação da falta". A falta ou "falta fundamental" é representada e operada pelo falo e pelo objeto *a* (ver o *Seminário 10*).
- Do falo simbólico (Φ) e do falo imaginário (φ) pode-se dizer: Φx e φx, em que x indica sempre o "lugar vazio da função". Entenda-se a função como expressão do "todo fálico" (homem) e do "não-todo fálico" (mulher).
- O "ser-para-o-sexo" é a fórmula baseada em Heidegger (ser-para-a-morte), com o que o sujeito se autoriza na vida sexual.
- Lacan fundou, no tema do desejo, a clínica e a ética não moralistas.
- A psicanálise propõe incluir, e não segregar a diversidade sexual.
- A lenda do Édipo sempre se referirá ao homem e nunca à mulher.
- Segundo Freud, o homem só será capaz de interessar-se sexualmente por uma mulher quando tenha renunciado ao amor da mãe, seu objeto primordial.
- A sexuação se refere à trajetória e a seus impasses, que cabe ao sujeito atravessar com a finalidade de se definir como homem ou mulher – não por definições anatômicas, mas por atributos da linguagem, construções psíquicas, metafóricas e inconscientes.
- O falo é o significante (significante do desejo) capaz de ordenar, organizar e estruturar a vertente sexual do ser humano, estabelecendo as diferenças e as relações entre homens e mulheres.

15. Topologia borromeana

Nós borromeus

Sendo a intenção deste livro explicitar as fontes do pensamento de Jacques Lacan, não faltaríamos com a história do "nó borromeu" ou "nó borromeano", em sua gênese vinda do brasão de um espírito católico, italiano, estudado na topologia de redes ou de nós.

Lacan viajava pela Itália quando, num jantar entre amigos, apresentaram-lhe um enigmático escudo familiar, inspirando-o à necessária figura topológica, correspondente às elucubrações a que se dedicava em suas pesquisas de linguagem.

O nó borromeu fora usado desde a Idade Média, como símbolo cristão da Santíssima Trindade, adotado por aquela época como identificação da raiz aristocrática do norte da Itália (século XIV), dos Borromeus, em sua genealogia heráldica. As terras desse clã ilustre ocupavam inúmeras ilhas, consideradas verdadeiro paraíso ecológico, cuidadoso santuário.

Em termos de pertença religiosa, com a saga de bravura, coragem, ações caritativas e dedicado ensino pio, um dos filhos atingiu o posto de cardeal da igreja católica, em Milão. Era Carlos Borromeu, que, após a sua morte, aos 46 anos de idade, recebeu os títulos de beato e, em seguida, o de santo: São Carlos Borromeu (1610).

Por curiosidade histórica, é importante anotar a construção de dois templos em homenagem e memória do patrono referido. Um em Viena (Áustria) e outro no Brasil, na cidade que recebeu seu nome: São Carlos (SP).

Figura 17 – Catedral de São Carlos Borromeu na cidade de São Carlos SP

Arrazoado texto foi produzido pelo filósofo francês Dany-Robert Dufour, com o título genérico de *Os mistérios da trindade* (2000). O autor expande a cartografia dos Borromeus do ponto de vista filosófico para verdadeira polianteia constitutiva do saber.

Nesse texto discutem-se as formas unárias, binárias e trinárias do laço social. Segundo estudiosos, esse compêndio, publicado na França, alcançou enorme plateia entre psicanalistas lacanianos, com a liderança intelectual de Serge Leclaire.

A psicanálise, assim regida, é também um assunto trinitário, não somente em seu discurso, mas também em seus atos, na maneira como ela dá conta, desde Freud, da formação dos laços pessoais e sociais.

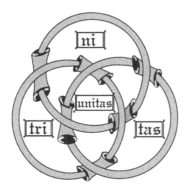

Figura 18 – Ilustração da Trindade cristã em forma de nó borromeano (século XIV)

Vários autores definiram a tópica trinitária de modo a compor as ciências categóricas da razão, entendendo-as como parte da "língua natural", imanente do ato de falar, independentemente de qualquer exclusivismo religioso.

Lacan foi denominado um dos "pensadores da Trindade". Já pela sua ascendência católica, já pela sua crença de que há algo religioso no psiquismo humano, já pela sua afirmação de que o vazio religioso ("Deus está morto") deve ser contido, promovendo o amparo no desamparo.

De qualquer forma o seu interesse seria pelos "valores humanos", pelos saberes acadêmico e científico, pela forma moderna da linguística, sendo o seu conceito de subjetividade – em que propunha contribuição nova e radical – indispensável para a ciência.

As tranças

Figura 19

Observa-se que os três arcos componentes do nó borromeu se enrolam entre si como se constituíssem tranças da vaidade feminina.

Cada elo corresponderia a uma letra do conjunto RSI (os três registros existenciais do homem), permitindo conformar uma área central a que se denomina a (objeto a). Essa letra designaria o objeto causa do desejo, interpretando um furo, um vazio, uma abertura – hiância por fim.

Diz-se, ainda, que nessa planificação o conceito do objeto deva ser interpretado como o "mais gozar", o semblante, o "Supremo Bem de Aristóteles", "nó elaborável do gozo", "o gozo da vida" de Lacan.

Exponho todas essas possibilidades interpretativas para estimular um estudo mais profundo que possa ser encontrado na amplitude da obra lacaniana.

Buscar e encontrar as dificuldades de Lacan, diríamos. Quem procura acha.

O significado do nó de três elos

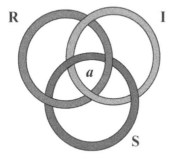

Figura 20

É na página 88 do *Seminário 19 – ...ou pior* (2012) que Lacan define o nó borromeu, fazendo-o com cuidado. Alertamos que a montagem do nó pode ser feita com barbante, possibilitando-nos expandir essas estratégias frouxas.

A partir da página 126 do *Seminário 20 – Mais ainda* (1985b), ele dedica todo um capítulo às rodinhas de barbante.

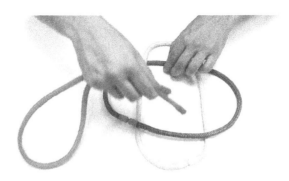

Figura 21

Aqui, permito-me a explicar a diferença entre os objetos duros e os moles, os objetos da geometria e os da topologia. Eis porque Lacan utilizou-se da topologia em suas preocupações conceituais. Vejamos as diferenças.

Nas figuras ditas geométricas, não haveria deformações da sua representação gráfica. Triângulo, quadrado, círculo teriam as medidas do perímetro mensuradas com precisão e superfícies regulares. Ao contrário, as representações topológicas seriam irregulares, podendo ser deformadas. Como exemplo clássico, temos o "relógio derretido" de Salvador Dalí. E então se entende a preferência de Lacan pelos barbantes.

Figura 22

Real, simbólico e imaginário

Real
Assim é chamado por Lacan o campo da "coisa", do estranho, *Unheimlich*, do impossível de dizer. Há uma ideia contemporânea de que as químicas legais e ilegais podem estimular o acesso biológico a esse Real. Um tema longo e difícil de expor neste espaço conciso.

Porém, no texto de Rosset (1988) encontramos variadas posições e possibilidades que esclarecem melhor o conceito.

Ele principia com a ideia do "idiota", atendendo à etimologia grega *idhiótis*, significando único e singular. Segue-se o acaso, o artifício, a facticidade, atributos da realidade, "in-significante", que comporão a "ontologia" do singular, a singularidade de cada qual.

Vindo de longe, das antigas mitologias, o conceito do Real ganha força de estrutura em Hegel, podendo ser comparado ao Real de Lacan ou vice-versa.

Para Leclaire (1999), o difícil é evocá-lo. O Real é aquilo que resiste, insiste, existe e se dá, ao mesmo tempo em que se furta, como gozo, angústia e castração.

O Real está em nós, enigmaticamente.

Por fim, o Real é o que é impossível de tomar a forma simbólica, falada, escrita ou dramatizada. É o inassimilável, é o "resto" não devidamente elaborado.

O Real existiria além do desejo humano. Em Freud, teria uma base biológica. Em Lacan, a base seria cultural.

É também chamado de o pior, aquilo que irrompe de modo inopinado, não dando chance ao sujeito de se defender, sendo responsável pela desestruturação do ser. Não depende dos registros simbólico e imaginário, mas pode ser "cuidado" por eles.

Real é o avesso do simbólico. O simbólico organiza os fatos e os acontecimentos, dá sentido ao mundo. O Real é o que está fora da organização e do sentido.

Do Real se diz, também, que ele é o in-mundo, fora do mundo, contra o mundo.

Na análise propriamente dita, o Real não se apresenta; dito de outro modo, ele estará sempre de fora do exercício analítico.

O único encontro com o Real se presentifica no sonho, mais particularmente no "umbigo do sonho".

O Real é o lugar da loucura.

Simbólico

A psicanalista Michele Roman Faria (2019) é minudente na pesquisa que faz com base no *Seminário 4 – A relação do objeto*. O simbólico é aquele que une, como o diabólico é aquele que separa.

No tempo de Jesus Cristo, seus seguidores tinham uma forma esotérica de se reconhecerem. Um primeiro cristão inscrevia um arco sobre o solo e o companheiro completava a insígnia com outro arco superposto, formando a representação de um peixe, o símbolo da cristandade.

Figura 23

O símbolo desempenha uma função complexa, compondo o significado a partir do significante, explicitando o consciente a partir do inconsciente.

Assim, a ordem simbólica se organiza e condiciona sonhos, sintomas, linguagem, leis, cultura, a função paterna e, por fim, o grande Outro. Não se confunda a ordem simbólica estabelecida por Lacan com o simbolismo de Freud-Jung-Grodeck.

Imaginário

Nos *Escritos*, o autor formula o que se trata como deslocamento, condensação, trabalhos típicos do sonho, ou seja, as noções linguísticas da metonímia e da metáfora, e, por tudo, a gramática do inconsciente e o campo do imaginário.

Esse caminho (imaginário) pode ser revisto em três investigações filosóficas: a imagem, a imaginação e o próprio imaginário.

Trata-se do caminho da sexualidade, no qual lecionam a fantasia e o desejo.

A imagem faria ou representaria o resíduo material, um elemento simplesmente inanimado, capaz de desempenhar um papel simbólico. Presente no sonho, na alucinação, na esquizofrenia, no pensamento criativo, nos conteúdos oníricos.

Na psicanálise existe uma acurada tendência a transformar a imagem em símbolo constituinte.

Da imaginação recorremos ao *De Anima*, de Aristóteles, capaz de pontuar esse fenômeno como pertencente à corrente histórica da filosofia.

O ato imaginativo teria o sentido de um acontecimento mágico, capaz de fazer surgir o objeto desejado, se tratando sempre de um imperioso desejo infantil.

Da investigação do imaginário elucidamos os significados atribuídos a Lacan, compondo a tríade do Real, Simbólico e Imaginário.

Pela forma de entender o fenômeno imaginário, retratamos o registro que se compreende como dimensão do Ego e do narcisismo, constituindo da passagem pelo estádio do espelho inspirado em Wallon.

Imaginário, pois, seriam as produções psíquicas que têm a possibilidade de manter um trauma com o conceitual simbólico, evitando equívocos postos pelos verbetes do dicionário e das teorias filosóficas.

Então, fica bem acertado que Imagem e Imaginação não têm correspondência direta com Imaginário, estando esse verbete ligado não à capacidade mental da imaginação ou da Imagem, mas ao conjunto de símbolos – não tendo existência concreta, mas uma alteridade com o mundo.

Vocábulo ligado ao Seminário 23 – O Sinthoma

É nesse seminário que Lacan cria o quarto elemento do nó borromeu, o "sinthoma", apresentando-o como uma estrutura, a psicose não sintomática, o elemento capaz de promover o enredamento de três elos (aros) e evitando seu rompimento. Trata-se do "quarto elemento".

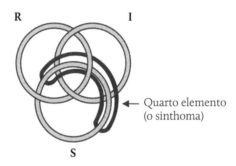

Figura 24 – Nó borromeano de quatro anéis.

Aqui é importante lembrar que o elo que amarra verifica o furo e, a rigor, o produz, uma vez que os elos seriam inconsistentes caso não fossem atravessados pelo elo que produz a amarração. Ou seja, nesse momento, Lacan dirá que a esse universo simbólico dá-se o nome de sinthoma. Ao nome sintoma (próprio da medicina) manifesta-se tudo que está funcionando mal. Por exemplo, a febre como sintoma de gripe.

Ainda sobre os nós – repetindo trechos do capítulo 12

PODE-SE DIZER QUE A representação do nó de Borromeu também é um "esquema", ou pelo menos é sequencial aos traçados esquemáticos utilizados por Lacan para explicar a psicose diante do registro RSI.

No estudo da topologia lacaniana (Granon-Lafont, 1996), aprende-se que Lacan deixou o uso das estruturas superficiais e passou a utilizar a pesquisa e o manejo dos nós: a banda de Moebius (ver o Capítulo 12), por exemplo, submetida a três semitorções, produz o chamado nó de trevo, e novas torções constroem a estrutura conhecida como "superfície de Boy", nós que estão contidos no nó de Borromeu.

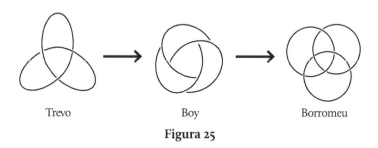

Figura 25

A ideia de usar o nó borromeano para representar a relação entre os registros RSI se deve ao fato de que cada um dos três elos pode ser olhado de qualquer ângulo, sem que se configure uma sequência hierárquica. Qualquer par de registros que se tome só existirá se estiver ligado ao terceiro elo.

Então, torna-se interessante mostrar graficamente a diferença entre o nó borromeano e o nó olímpico, próprio das neuroses.

Teoria dos nós

- Nó olímpico (próprio da neurose):

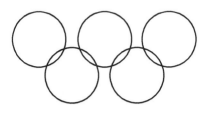

Figura 26 – Se um elo se romper,
pelo menos três permanecerão ligados.

- Nó de Borromeu (próprio da psicose):

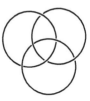

Figura 27 – Se um elo se romper,
rompe-se a ligação entre os elementos.

Aqui, adentramos um tema complexo, pela especificidade própria da topologia que escapa da épura geométrica que, por sua vez, é representação, num plano, de uma figura espacial, com ajuda do desenho projetivo – uma questão semelhante à ruptura feita por Freud na lógica cartesiana. De qualquer maneira, registre-se que na topologia lacaniana os termos não se referem aos objetos, e sim aos lugares.

A partir da teoria dos nós, Lacan inaugura a clínica das suplências, assim chamada por Quinet (2000) a possibilidade de outros significantes ocuparem a função de nome-do-Pai. Em 1964, Lacan postulara essa pluralização, que, posteriormente, permitiu o entendimento da psicose joyceana (ou lacaniana?). Sendo que, em 1924, no texto "A perda da realidade na neurose e na psicose" (1974), Freud já dissera: "Tanto para a neurose quanto para a psicose, a questão que vem a ser colocada não é apenas a da perda da realidade, mas também a de um substituto da realidade".

Em 1975, com o nó borromeano, Lacan supera o Lacan de 1958 (quando o imaginário estava subordinado à dimensão do simbólico). Agora os registros são entendidos como autônomos, porém interligados pelo sintoma, levando a uma conclusão de suma importância: a de como tratar o sintoma.

Conclui-se, nos estudos postos a partir daí, que haveria uma ineficácia na interpretação analítica dos sintomas. E, no caso específico da psicose, interpretar na direção de uma busca de sentido é repetir e reforçar exatamente o que o paciente faz a partir da montagem de seu mundo delirante. Não caberia ao analista competir com o paciente.

16. Da psicose paranoica

A tese renovadora

Em 1932, Jacques-Marie Émile Lacan deu a lume sua tese de doutorado em Medicina: *Da psicose paranoica em suas relações com a personalidade*. No ano de 1975, o texto foi transformado em livro pela editora Seuil, de Paris, tendo a primeira edição no Brasil sido publicada em 1987 pela Editora Forense-Universitária, do Rio de Janeiro.

O autor dedicara a obra a seu irmão Marc-François Lacan, religioso beneditino da Congregação Francesa, seguindo homenagens à família, aos seus mestres em Medicina Henri Claude (orientador da tese) e Georges de Clérambault (seu mestre reconhecido e sempre lembrado), a seus colegas Édouard Pichon, Henry Ey e outros.

Foi a partir daí que o senso criativo de Lacan permitiu que fosse ele considerado um renovador, não só da ciência psiquiátrica, mas também da própria psicanálise, em que se iniciava por aquele tempo.

Fiquei deveras sensibilizado ao dar-me conta de que alguns dos autores citados na bibliografia de sua tese, tais como Eugen Bleuler, Henry Ey, Freud, Fenichel, Karl Jaspers, Mayer Gross e

Kurt Schneider, fizeram parte de meus estudos, nos anos da residência médica (1970-71), vividos no Instituto de Psiquiatria do Hospital das Clínicas (USP), sob a direção pedagógica de Antônio Carlos Cesarino, doutor pela Universidade Alemã de Heidelberg, e a direção clínica de José de Souza Fonseca Filho, doutor em Psiquiatria pela USP.

Essa obra de Lacan apresenta-se em dois vieses: teria sido a "última grande tese de psiquiatria contemporânea" e também a sua "primeira incursão no campo propriamente dito da psicanálise". Assim está registrado na "orelha" da edição brasileira assinada por Marco Antônio Coutinho Jorge, um dos tradutores.

É importante registrar ainda a acolhida do tema pelos surrealistas (com a liderança de Dalí), que souberam valorizar a psicanálise daquele tempo, sobretudo as ideias lacanianas.

Salvador Dalí, mesmo não pertencendo à área "psi" do conhecimento, porém militante do que se chamava "revolução surrealista", escreveu em 1930 um texto sobre a paranoia. Lacan teve a oportunidade de lê-lo, sendo então influenciado por uma "nova apreensão da linguagem no domínio das psicoses". Percebeu que Dalí correlacionava a paranoia à alucinação, entendida como interpretação da realidade de forma delirante.

Na introdução à exposição que faz de seus trabalhos científicos (página 393 da *Tese*), Lacan insiste em que "o progresso da psiquiatria não poderia prescindir de um estudo aprofundado das estruturas mentais". E relata-nos que esse ponto de vista surgia em seus primeiros estudos sobre os delírios – mais especialmente sobre os distúrbios de linguagem observados nos delirantes.

Também fez a afirmação assertiva da impossibilidade de qualquer fenômeno psíquico surgir independentemente do funcionamento total da personalidade. Daí a escolha das psicoses paranoicas e sua relação com a personalidade para a tese acadêmica que produziu, exigindo-lhe um estudo amplo e preciso de inúmeras teorias. Afirmava: "A originalidade de nosso estudo é que ele é o primeiro, pelo menos na França, em que se tenta uma interpretação exaustiva dos fenômenos mentais de um delírio típico, em função da história concreta do sujeito, restituída por um levantamento tão completo quanto possível".

O interesse de Lacan pelos casos da paranoia foi discutido amplamente, antes da publicação, com seus colegas da sociedade de estudos Évolution Psychiatrique, e também o inspirou a acompanhar alguns casos clínicos no Hospício de Charenton, dirigido pelo dr. Baruk (*sic*), na casa de saúde de Ville-Évrard, dirigida pelo dr. Petit (*sic*). Outrossim, dedicava-se com muito empenho ao estudo das doenças mentais no Hospital Saint-Anne, "centro do universo manicomial" da Paris daquele tempo.

Frequentou a clínica psiquiátrica da Universidade de Zurique, por onde passaram Jung, Forel e Bleuler, fundadores de uma nova abordagem da loucura com ênfase na escrita da fala dos pacientes. Ainda conviveu com Henry Ey, expoente da psiquiatria organodinâmica, com base na fenomenologia.

Já em 1928, relatara intrigante caso de uma sobrevivente de guerra, uma bretã histérica, utilizando-se do termo "pitiatismo" (linguagem da psicanálise de então).

A paranoia, em princípio, corresponderia aos traços clínicos, assim dispostos: 1. um delírio intelectual que varia seus temas das ideias de grandeza às de perseguição; 2. reações agressivas e, com muita frequência, homicidas; 3. patologia de evolução crônica.

Pode-se entender a vivência (*Erlebnis*) paranoica e a concepção de mundo que ela constrói como "sintaxe original". Tal sintaxe seria capaz de contribuir, pelos elos de compreensão apropriada, com a própria experiência da comunicação humana, senso lato.

Toda a vivência paranoica permitiria um espaço de "comunicabilidade humana" que se tem mostrado, com reconhecida polêmica, em todas as épocas civilizatórias.

Imperiosamente, o estilo paranoico é que se impõe em todas as formas de criação artística, criando o conflito entre percepção objetiva *versus* potência criativa e seus significados.

Utilizando vocábulos da fenomenologia-existencial, Lacan retrata o papel dos psiquiatras que teriam, com a necessidade de explicação da ordem jurídica, se ancorado no "esquema cômodo do déficit quantitativo, insuficiência ou desequilíbrio de uma função de relação para com o mundo".

No capítulo em que considera a anomalia da estrutura e a fixação do desenvolvimento da personalidade de Aimée "como as causas primeiras da psicose", Lacan introduz a literatura freudiana de modo amplo, dando destaque à análise feita por Freud no caso Schreber.

Considera que, nessa análise, Freud usou uma "maneira gramatical" das diferentes denegações existentes, na confissão libidinal inconsciente, o que está relatada no texto (p. 262).

Diz, ainda: "Há um ponto da teoria psicanalítica que nos parece particularmente importante para a nova doutrina, e nela se integra imediatamente a concepção que ela dá da gênese das funções de autopunição ou, segundo a terminologia freudiana, do superego" (idem). Ao desenvolver essa temática, Lacan faz justiça ao "imenso gênio do mestre da psicanálise, Freud".

Na página 149, refere-se ao "delírio de Aimée" quando estabelece o "exame clínico do caso Aimée" ou "a paranoia da autopunição". Porém, não esclarece a escolha desse nome fictício, que no decorrer do texto se diz Sra. A.

Daí uma nota importante: não posso deixar de recomendar ao meu eventual leitor o estudo da clínica psicanalítica feito por Jean Allouch – *Paranoia: Marguerite ou a "Aimée" de Lacan* (2005) – com posfácio do psicanalista Didier Anzieu, filho de Marguerite, além de uma instigante correspondência entre Didier e Allouch.

O autor inicia seu trabalho discutindo a nomeação de "caso Aimée" dado à tese lacaniana. Quem teria sido responsável por esse título? "Talvez se trate, antes, de determinar como a doente e seu psiquiatra contribuem, cada um à sua maneira e num lugar diferente para cada qual, para forjar e mesmo promover este nome, Aimée", nos recomenda Allouch.

Aimée, no léxico francês, significa "amada".

O autor aponta para a decisão de Lacan de seguir a proposta de Jaspers: "Os tipos clínicos válidos só poderão ser fundados no estudo de vidas individuais em sua totalidade".

Assim, a monografia sobre a paranoia se firmaria como doutrina e os dados da psiquiatria e da psicanálise se fundiriam – permitindo o longo percurso da história dessas ciências coirmãs, utilizando-se a continuidade da genética (no sentido da gênese) e a estrutura da personalidade do sujeito.

À página 327 de sua tese, Lacan discute o que chamou de "questão do empréstimo", feito da doutrina psicanalítica.

Então, o caso clínico não seria apenas a história de uma vida, porém a "história vivida do sujeito", a *Erlebnis* da fenomenologia.

A monografia de Lacan foi construída com a coleta de dados diretamente obtidos das entrevistas com a paciente e com pessoas de seu círculo familial e social, trazendo, porém, elementos da psicanálise da escuta: o entrevistador permitiu-se à atenção equiflutuante para registrar a informação reveladora do vivido inesperado.

Criaram-se, assim, dois modos de trabalhar: 1. a entrevista psiquiátrica clássica, com certo plano didático de perguntas e respostas; e 2. a entrevista psicanalítica com a regra fundamental da escuta, que já se encontrava em Freud, mas se exponenciou com Lacan.

Torna-se interessante registrar que foi no entremeio de sua atividade clínica que Lacan passou a ser analisado por Rudolph Loewenstein, a fazer supervisão com Charles Odier e a desenvolver a parte teórica de sua formação com Édouard Pichon. Por esse tempo (1932) inscrevera-se na recém-fundada Sociedade Psicanalítica de Paris. Nascia o psicanalista Lacan.

Por fim, conhecer esse trabalho se impõe como exigência intelectual aos psiquiatras e psicanalistas de hoje, pois trata-se de um tema contemporâneo de magnífica leitura.

Autores da bibliografia parcial do livro
Da psicose paranoica:

ALFRED BINET e Théodore Simon; André Lalande; Angelo Hesnard; Anna Freud; Bertrand Russell; Carl Gustav Jung; Édouard Claparède; Emil Kraeplin; Enrique Pichon Rivière; Ernest Jones; Eugen Bleuler; Franz Alexander; Franz Brentano; Gabriel de

Tarde; Gaëtan Gatian de Clérambault; Gerard Mendel; Heinrich von Kleist; Henry Ey; Henri Charles Jules Claude; Hermann Minkowski; Immanuel Kant; Joseph Capgras; Jules Cotard; Jules Laforgue; Jules Séglas; Karl Abraham; Karl Jaspers; Kurt Schneider; Marie Bonaparte; Max Scheler; Michael Löwy; Michel Legrand; Otto Fenichel; Otto Rank; Paul Valéry; Pierre Janet; Richard von Krafft-Ebing; Sándor Ferenczi; Sigmund Freud; Théodule-Armand Ribot; William James; Willy Mayer-Gross.

Matérias que cabe ao psicanalista estudar

A PROPOSTA DE FREUD: estudar psiquiatria, sexologia, história da civilização, mitologia, religiões, literatura, filosofia, teorias da resistência e das transferências, sobre o amor.

A proposta acrescentada por Lacan: estudar retórica, dialética, gramática, poética, teoria do símbolo, lógica intersubjetiva, o sujeito em sua corporalidade e temporalidade, Saussure e Lévi-Strauss, as teorias humanistas, as fenomenologias (Heidegger, Husserl, Hegel), criminologia.

Em ambos os casos deve-se ressaltar a experiência relacional em que se sobressai a linguagem, com suas estruturações diacrônicas e sincrônicas. Por fim, a fala.

Sinopse da vida e da obra de Lacan

Jacques-Marie Émile Lacan nasceu em 13 de abril de 1901.

Escritos (1970/1998b), sua obra-prima, apesar das polêmicas históricas, é exclusivamente sua, com a supervisão e o estímulo editorial de François Wahl.

Seus *Seminários* trazem o timbre do genro J.-A. Miller, que estabeleceu seus textos, sendo também seu executor testamentário.

A obra de Lacan ainda está aberta às interpretações e aos polimentos dos estudiosos contemporâneos.

Em 1980, a doença senil o vitimou de modo irreparável. Morreu em 9 de setembro de 1981, com câncer intestinal.

O abade Marc-François Lacan lembrava que a obra do irmão estaria impregnada de cultura católica.

Foi enterrado no cemitério da aldeia de Guitrancourt, interior da França, e seu túmulo simples contém apenas este registro: "Jacques Lacan: 13 de abril de 1901 – 9 de setembro de 1981".

Conta-se que em vida segredara a uma amiga: "Se eu pudesse escolher um lugar onde morrer e ser acolhido, seria Roma".

Seu fim foi tão prosaico como o de todos os mortais: Lacan não teve as pompas de um faraó.

Obras consultadas

ALMEIDA, Wilson Castello de. *Rodapés psicodramáticos – Subsídios para ampliar a leitura de J. L. Moreno.* São Paulo: Ágora, 2012.

_____. *Elogio a Jacques Lacan.* São Paulo: Summus, 2017.

ALTHUSSER, Louis. *Freud e Lacan, Marx e Freud.* Rio de Janeiro: Graal, 1985.

ANDRADE, Maria Lúcia de Araújo. *Distúrbios psicomotores (com base em Henri Wallon).* São Paulo: EPU, 1984.

ARISTÓTELES. *Ética a Nicômacos.* Brasília: Ed. UnB, 1985.

ATTALI, Jacques. *Karl Marx ou o espírito do mundo.* Rio de Janeiro/São Paulo: Record, 2007.

AUZIAS, Jean-Marie. *Chaves do estruturalismo.* Rio de Janeiro: Civilização Brasileira, 1972.

BASTIDE, R. (org.). *Uso e sentidos do termo "estrutura".* São Paulo: Herder/Edusp, 1971.

CAMPOS, Haroldo de. *O afreudisíaco Lacan na galáxia de lalíngua (Freud, Lacan e a Escritura).* São Paulo: Iluminuras, 2011.

CARDOSO E CUNHA, Brigitte. *Psicanálise e estruturalismo.* Lisboa: Assírio e Alvim, 1978/1981.

CHAUI, Marilena. *Do pré-socrático a Aristóteles.* São Paulo: Companhia das Letras, 2002.

_____. *Política em Espinosa.* São Paulo: Companhia. das Letras, 2003.

CLÉMENT, Catherine. Vidas e lendas de Jacques Lacan. São Paulo: Moraes, 1983.

DANTAS, Pedro da Silva. *Para conhecer Wallon – Uma psicologia didática.* São Paulo: Brasiliense, 1983.

DESCARTES. *Meditações metafísicas.* São Paulo: Folha de São Paulo, 2015.

DIATKINE, Gilbert. *Jacques Lacan*. Porto Alegre: Artmed, 1999.
DURANT, Will. *A História da filosofia*. Rio de Janeiro: Nova Cultural, 1996.
DURAS, Marguerite. *Le ravissement de Lol V. Stein*. Paris: Gallimard, 1976.
DURKHEIM, Émile. *As formas elementares da vida religiosa: o sistema totêmico na Austrália*. São Paulo: Martins Fontes, 2000.
EIDELSZTEIN, Alfredo. *O grafo do desejo*. São Paulo: Toro, 2017.
ELLMANN, Richard. *James Joyce*. Rio de Janeiro: Globo, 1989.
FAGES, Jean-Baptiste. *Para compreender Lacan*. Rio de Janeiro: Editora Rio, 1975.
FARACO, Carlos Alberto (org.). *O efeito Saussure*. São Paulo: Parábola Editorial, 2016.
FERRARI, Ilka Franco. "Os cursos de Psicologia de Minas Gerais e a presença da psicanálise na disciplina Psicopatologia". *Subjetividades*, v. 4, n. 2, 2004, p. 372-91.
FINK, Bruce. *A clinical introduction to Lacanian psychoanalysis: theory and technique*. Cambridge: Harvard University Press, 1997. [Em português: Introdução clínica à psicanálise lacaniana. Rio de Janeiro: Zahar, 2018.]
FREUD, Sigmund. (1930) *O mal-estar na civilização*. In: *Obras completas*, v. 18. São Paulo: Companhia das Letras, 2010.
GAILLEMIN, Jean Louis. *Dalí, o grande paranoico*. Barcelona: Blume, 2011.
GAY, Peter. *Freud – Uma vida para o nosso tempo*. São Paulo: Companhia das Letras, 2010.
GIBSON, Michael. *Deuses e heróis da Grécia antiga*. São Paulo/Lisboa: Verbo, 1979.
GLYNOS, Jason; STAVRAKAKIS, Yannis. "Posturas e imposturas: o estilo de Lacan e sua utilização da matemática". *Ágora*, v. 4, n. 2, jul.-dez. 2001. Disponível em: <http://www.scielo.br/scielo.php?script=sci_arttext&pid=S1516-1498 2001000200009>. Acesso em: 23 abr. 2021.
GONÇALVES, Camila de Salles. *Desilusão e história na psicanálise de Sartre*. São Paulo: Fapesp/Nova Alexandria, 1996.
GRACIÁN, Baltasar. *A arte da sabedoria mundana*. Rio de Janeiro: Best Seller, 1992.
GROSSKURTH, Phyllis. *O mundo e a obra de Melanie Klein*. Rio de Janeiro: Imago, 1992.
HANNS, Luiz. *A teoria pulsional na clínica de Freud*. Rio de Janeiro: Imago, 1999.

HEIDEGGER, Martin. *A caminho da linguagem*. Petrópolis: Vozes, 2012.
HEGEL, Georg Wilhelm Friedrich. *Fenomenologia do espírito*. Petrópolis: Vozes, 2011.
HILLMAN, James. *Édipo e variações*. Petrópolis: Vozes, 1995.
JAGUARIBE, Hélio (org.). *A democracia grega*. Brasília: Ed. UnB, 1981.
JASPERS, Karl. *Psicopatologia geral*. São Paulo: Atheneu, 1973.
JIMENEZ, Stella (org.). *No cinema com Lacan*. Rio de Janeiro: Ponteio, 2015a.
_____. "Drama da sexuação humana". In: *No cinema com Lacan*. Rio de Janeiro: Ponteio, 2015b.
KOJÈVE, Alexander. *Introdução à leitura de Hegel*. Rio de Janeiro: Contraponto, 2002.
LA ROCHEFOUCAULD, François. *Máximas e reflexões*. Rio de Janeiro: Imago, 1994.
LAGACHE, D. *A transferência*. São Paulo: Martins Fontes, 1992.
LALANDE, André. *Vocabulário técnico e crítico de filosofia*. São Paulo: Martins Fontes, 1999.
LAURENT, Éric. *Versões da clínica psicanalítica*. Rio de Janeiro: Zahar, 1995.
LECERCLE, Jean-Jacques. *Philosophy of nonsense*. Nova York: Routledge, 2012.
LEGUIL, Clotilde. *Sartre avec Lacan – Corrélation antinomique, liaison dangereuse*. Paris: Navarin, 2012.
LÉVI-STRAUSS, Claude. "A eficácia simbólica". In: *Antropologia estrutural*. Rio de Janeiro: Tempo Brasileiro, 1975.
LÖWY, Michael. *A teoria da revolução no jovem Marx*. Petrópolis: Vozes, 2002.
LUKÁCS, Georg. *A alma e as formas – Ensaios*. São Paulo: Autêntica, 2015.
_____. *História e consciência de classe – Estudos sobre a dialética marxista*. 3. ed. São Paulo: Martins Fontes, 2019.
MAJOR, R. *Lacan com Derrida*. Rio de Janeiro: Civilização Brasileira, 2002.
MAJOR, René; TALAGRAND, Chantal. *Freud*. Porto Alegre: L&PM, 2007.
MARCONDES, Danilo. *Textos básicos de filosofia*. Rio de Janeiro: Zahar, 1999.
MARINGUELA, Márcio. *Lacan, o passador de Politzer – Psicanálise e surrealismo*. São Paulo: Jacintha, 2007.
MARITAIN, Raïssa. *As grandes amizades*. Rio de Janeiro: Agir, 1958.
MARX, Karl. *O capital* (edição resumida). Rio de Janeiro: Zahar, 1978.
MAUSS, Marcel. *Ensaio sobre a dádiva*. São Paulo: Cosac & Naify, 2013.

_____. *A nação*. São Paulo: Três Estrelas, 2017.
MILLER, Jacques-Alain. *Matemas I*. Rio de Janeiro: Zahar, 1996.
_____. *Lacan elucidado: Palestras no Brasil*. Rio de Janeiro: Jorge Zahar Editores, 1997.
MILLER, G. (org.). *Lacan*. Rio de Janeiro: Zahar, 1993.
MILNER, Jean-Claude. *A obra clara*. Rio de Janeiro: Zahar, 1996.
O'BRIEN, Edna. *James Joyce*. Rio de Janeiro: Objetiva, 1999.
POE, Edgard Allan. *Histórias extraordinárias*. São Paulo: Companhia das Letras, 2017.
PORGE, Érik. *O arrebatamento de Lacan – Marguerite Duras ao pé da letra*. São Paulo: Aller, 2019.
ROCHA PEREIRA, Maria Helena da. *Estudos de história da cultura clássica – Cultura grega*. Lisboa: Fundação Gulbenkian, 1970.
ROUDINESCO, Elisabeth. *Jacques Lacan – Esboço de uma vida, história de um sistema de pensamento*. São Paulo: Companhia das Letras, 1994.
_____. *Em defesa da psicanálise*. Rio de Janeiro: Zahar, 2009.
_____. *Lacan, a despeito de tudo e de todos*. Rio de Janeiro: Zahar, 2011.
_____. *Sigmund Freud – Na sua época e em nosso tempo*. Rio de Janeiro: Zahar, 2016.
SAFOUAN, Moustafa. *Estruturalismo e psicanálise*. São Paulo: Cultrix, 1970.
SANTO AGOSTINHO. *Confissões e De magistro*. São Paulo: Abril Cultural, 1980 (Coleção Os Pensadores).
SCHNEIDERMAN, S. *Jacques Lacan: a morte de um herói intelectual*. Rio de Janeiro: Zahar, 1988.
SIMANKE, Richard Theisen. *Metapsicologia lacaniana*. São Paulo: Discurso, 2002.
SÓFOCLES. *Édipo em Colono*. porto Alegre: L&PM, 2003.
SOLER, Colette. *O inconsciente – O que é isso?* São Paulo: Annablume, 2012.
SOUZA, Paulo César de. *As palavras de Freud*. São Paulo: Companhia das Letras, 2010.
STONE, I. F. *O julgamento de Sócrates*. São Paulo: Companhia das Letras, 1988.
SULLIVAN, H. S. *Conceptions of modern psychiatry*. Nova York: W. W. Norton, 1940.
TSÉ, Lao. *Tao Te Ching – O livro do caminho e da virtude (1937)*. Rio de Janeiro: Mauad, 1998.

WALLON, Henry. *A criança turbulenta – Estudos sobre os retardamentos e as anomalias do desenvolvimento motor e mental*. Petrópolis: Vozes, 2007.

ZAFIROPOULOS, Marcos. *Lacan e Lévi Strauss*. Rio de Janeiro: Civilização Brasileira, 2018.

ŽIŽEK, Slavoj. *Como ler Lacan*. Rio de Janeiro: Zahar, 2010.

Bibliografia lacaniana

LACAN, J. "L'étourdit". *Scilicet*, n. 4, 1972.

_____. *O mito individual do neurótico*. Lisboa: Assírio e Alvin, 1980.

_____. *O Seminário. Livro 2 – O eu na teoria de Freud e na técnica da psicanálise*. Rio de Janeiro: Zahar, 1985a.

_____ (1972-1973). *O Seminário. Livro 20 – Mais, ainda*. Rio de Janeiro: Zahar, 1985b.

_____. *O Seminário. Livro 11 – Os quatro conceitos fundamentais da psicanálise*. Rio de Janeiro: Zahar, 1985c.

_____ (1953-1954). *O Seminário. Livro 1 – Os escritos técnicos de Freud*. Rio de Janeiro: Zahar, 1986.

_____ (1932). *Da psicose paranoica em suas relações com a personalidade*. Rio de Janeiro: Forense Universitária, 1987a.

_____. *A família*. Lisboa: Cooperativa Editora e Livreira, 1987b.

_____. *A querela dos diagnósticos*. Rio de Janeiro: Zahar, 1989a.

_____. *Shakespeare, Duras, Wedekind, Joyce*. Lisboa: Assírio & Alvim, 1989b.

_____. *O Seminário. Livro 17 – O avesso da psicanálise*. Rio de Janeiro: Zahar, 1992a.

_____. "O improviso". In: *O Seminário. Livro 17 – O avesso da psicanálise*. Rio de Janeiro: Zahar, 1992b.

_____ (1974). *Televisão*. Rio de Janeiro: Zahar, 1993.

_____ (1930). *Os complexos familiares*. Rio de Janeiro: Zahar, 1997a.

_____. *O Seminário. Livro 7 – A ética da psicanálise*. Rio de Janeiro: Zahar, 1997b.

_____. *O Seminário. Livro 3 – As psicoses*. Rio de Janeiro: Zahar, 1997c.

_____. "De uma questão preliminar a todo tratamento possível da psicose". In: *Escritos*. Rio de Janeiro: Zahar, 1998a.

_____ (1970). *Escritos*. Rio de Janeiro: Zahar, 1998b.

_____. "O estádio do espelho como formador da função do eu". In: Escritos. Rio de Janeiro: Zahar, 1998c.

_____. "Função e campo da fala e da linguagem em psicanálise". In: *Escritos*. Rio de Janeiro: Zahar, 1998d.

_____. "A instância da letra no inconsciente ou a razão desde Freud". In: *Escritos*. Rio de Janeiro: Zahar, 1998e.

_____. "Seminário sobre 'A carta roubada'". In: *Escritos*. Rio de Janeiro: Zahar, 1998f.

_____. *O Seminário. Livro 5 – As formações do inconsciente*. Rio de Janeiro: Zahar, 1999a.

_____. "Os três tempos do Édipo". In: *O Seminário. Livro 5 – As formações do inconsciente*. Rio de Janeiro: Zahar, 1999b.

_____. "O aturdito". In: *Outros escritos*. Rio de Janeiro: Zahar, 2003a.

_____ (1966-1967). "A lógica da fantasia". In: *Outros escritos*. Rio de Janeiro: Zahar, 2003b.

_____ (1966-1967). *Outros escritos*. Rio de Janeiro: Zahar, 2003c.

_____. *O Seminário. Livro 10 – A angústia*. Rio de Janeiro: Zahar, 2005a.

_____. *O triunfo da religião*. Rio de Janeiro: Zahar, 2005b.

_____. *Nomes do pai*. Rio de Janeiro: Zahar, 2005c.

_____. *Meu ensino*. Rio de Janeiro: Zahar, 2006a.

_____. *O Seminário. Livro 12 – Problemas cruciais para a psicanálise* (seminários estenografados exclusivamente para membros do Centro de Estudos Freudianos do Recife). Pernambuco: CEFR, 2006b.

_____. *O Seminário. Livro 18 – De um discurso que não fosse semblante*. Rio de Janeiro: Zahar, 2007a.

_____. *O Seminário. Livro 23 – O sinthoma*. Rio de Janeiro: Zahar, 2007b.

_____ (1960). *O Seminário. Livro 8 – A transferência*. Rio de Janeiro: Zahar, 2010.

_____. *Estou falando com as paredes*. Rio de Janeiro: Zahar, 2011.

_____. *O Seminário. Livro 6 – O desejo e sua interpretação*. Rio de Janeiro: Zahar, 2016.

Agradecimentos

Ao professor José Fernando Honorato,
à editora executiva Soraia Bini Cury
e ao psicanalista Lian Suzuki
pela primorosa revisão do texto.

www.gruposummus.com.br